CLÁSICOS DEL CÓMIC

CLÁSICOS DEL CÓMIC   **SUPERMAN - Jerry Siegel & Joe Shuster**

Publicado con licencia de DC Comics. Todos los personajes incluidos en esta edición, sus rasgos distintivos y sus características son propiedad de DC Comics. Copyright © 1938, 1952, 1971, 1985, 1986, 1988, 2001, 2004 DC Comics.

Por esta edición: © 2004 Panini S.p.A. Reservados todos los derechos.

Edición especial realizada con la colaboración de PANINI COMICS www.paninicomics.it

Director Editorial: Marco M. Lupoi. Director General de España y Portugal: Lluis Torrent. Derechos internacionales: Annie Dauphin, Marco Ricompensa.

Director Artístico: Roberto Rubbi. Coordinador Editorial: Francesco Meo. Textos: Francesco Meo y Estudio Fénix.

Coordinación, montaje y realización de la edición española: Estudio Fénix.

De venta conjunta con este periódico. Reservados todos los derechos.

ISBN: 849638912X. Depósito legal: B-42.053-04. Imprime: Rotocayfo Quebecor, Barcelona.

Las aventuras de Superman son editadas regularmente en España por Norma Editorial.

Superman o la quintaesencia del Superhéroe

Puede asegurarse que *Superman* no es tan sólo un cómic de superhéroes: es el molde del cual emergieron todos los superhéroes, provocando la aparición de un sinfín de émulos e imitaciones tanto dentro de su propia editorial, National –luego DC– como por parte de otros sellos. Seguramente, sus creadores, Jerry Siegel y Joe Shuster, cuando tras haberlo presentado infructuosamente a numerosas agencias y editoriales lograron por fin que debutase en junio de 1938 en el primer número de *Action Comics*, apenas podían imaginar que su "hijo gráfico" devendría en poco tiempo no sólo un icono de la historieta, sino además y especialmente un símbolo del *American Way of Life* y un prototipo de la figura heroica, equiparable a otros mitos procedentes del medio literario como Tarzán, Robin Hood o el Zorro.

En 1939, además de obtener un comic-book con título propio, Superman sería el protagonista de sus propias tira diaria y página dominical, realizadas inicialmente por Siegel y Shuster, para ser ilustradas posteriormente y durante la mayor parte de su duración por Wayne Boring. Pronto, como todo fenómeno de masas que se precie, Superman saltaría a otros medios, incluyendo la radio y el cine, en el que debutó en 1941 en una notoria serie de cortos animados producidos por el estudio de Max Fleischer, y en 1948 pasaría a la imagen real interpretado por Kirk Alyn en un serial "serie B" producido por Columbia. En la pequeña pantalla debutaría en 1953 en una teleserie con George Reeves encarnando a Superman.

Paralelamente, en los comic-books proseguiría su impertérrita andadura, apareciendo además de en los citados *Superman* y *Action Comics* en muchas otras cabeceras y sobreviviendo a la crisis sufrida por el género superheroico a finales de los años cuarenta. La década siguiente supondría una segunda juventud para el héroe gracias a la labor del *editor* Mort Weisinger -respaldado por guionistas de talento como Otto Binder y artistas como el citado Boring, Curt Swan o Murphy Anderson-, quien insufló a sus hazañas un espíritu más cálido y ciertas dosis de humor. De los prolíficos años cincuenta datan personajes como el superperro Krypto y Supergirl, y supervillanos como Brainiac o Bizarro. Incluso otros personajes secundarios de las aventuras de Superman, como su novia eterna Lois Lane o su fiel compañero Jimmy Olsen, llegarán a obtener comic-book propio, lo mismo que *Superboy*, un título basado en las aventuras del Hombre de Acero en sus años juveniles.

En los años sesenta se produjo una profunda renovación del género de superhéroes; DC también se hizo eco de las nuevas propuestas, aplicándolas a personajes como Batman, Flash o Green Lantern. Sin embargo, Superman parecía seguir disfrutando de la suficente popularidad como para no precisar de cambios radicales, aunque durante esa década y la de los setenta, bajo la tutela del *editor* Julius Schwartz, aparecieron historias que intentaban romper moldes dentro del clasicismo del mito. Así, podía verse a una Lois Lane más feminista o episodios en los que la kryptonita, el "talón de Aquiles" de nuestro héroe, ya no le causaba efectos nocivos.

Tras el impacto obtenido por sus adaptaciones cinematográficas, Superman entraría de nuevo en un período de declive creativo; habría que esperar a 1986, cuando John Byrne, recién llegado de Marvel, revitalizaría al superhéroe, volviendo a hacer de él un héroe positivo, desenfadado y genuinamente americano, a la par que más complejo, sentando las bases de lo que sería el Hombre de Acero a partir de entonces.

Otros acontecimientos clave han marcado la carrera de Superman en estos últimos años, incluyendo su muy promocionada muerte en 1992 –que trascendió más allá de los círculos relacionados con el cómic, haciéndose eco de la misma los periódicos y otros medios informativos- y su consecuente resurrección, así como su boda con Lois Lane, su cambio de uniforme a otro azul y blanco sin capa, etc... todo lo cual viene a demostrar que los héroes aún no están cansados, siempre y cuando existan creadores con suficiente imaginación y destreza como para embarcarlos en nuevas y excitantes aventuras.

Y eso es lo que precisamente está ocurriendo hoy día, ya en pleno siglo XXI, con un Superman siempre al pie del cañón, con más fuerza que nunca gracias al buen hacer de guionistas como Dan Jurgens, Jeph Loeb –que también se ha hecho notar por su labor en *Batman*- y Mark Schultz, entre otros, o de dibujantes como Ed MacGuiness y varios autores españoles como Germán García, Pasqual Ferry y Kano, lo que demuestra la buena acogida que el talento hispano está disfrutando actualmente en el mercado del comic-book estadounidense. En tiempos supuestamente cada vez más turbulentos, sigue haciendo falta un héroe capaz de hacer soñar al público. Cuando la humanidad esté amenazada y no parezca haber ningun esperanza, siempre habrá un héroe capaz de salvarla. Aunque sea un héroe de papel.

El estilo

A lo largo del presente volumen podemos apreciar la evolución gráfica de Superman durante más de seis décadas. La primera aventura del personaje es el claro reflejo de una época en la que los comic-books apenas acababan de salir de su prehistoria: la planificación de las viñetas mantiene rígidamente el esquema de tres tiras por página; la viñeta de apertura a toda página (*splash page*) estaba todavía por llegar. Habría que esperar por lo menos una década para que el campo del comic-book asumiese las innovaciones y experimentos que lo conducirían a su consolidación y madurez gráficas.

Entre este primitivo episodio y los siguientes media un abismo estilístico: los innovadores guiones de Alan Moore en las dos historias recogidas aquí incitan a sus respectivos dibujantes a resultar, también ellos, no menos innovadores, tanto si una de ellas es ilustrada por el joven valor Dave Gibbons, como si en la otra interviene el más veterano Curt Swan.

El "nuevo" Superman, el surgido a partir de 1986 por obra y gracia de John Byrne, queda representado en la historia *Mundos diferentes*, a cargo del propio Byrne y del entintado de George Pérez, autor que en los años ochenta ya había destacado por su aportación a *The New Teen Titans* y la revitalización de *Wonder Woman*, justamente la coprotagonista de este episodio.

Cierran el presente volumen dos muestras del Superman actual. La planificación de las viñetas y la vertiginosidad narrativa están plenamente integradas con los nuevos tiempos del comic-book; en ambas historietas podemos incluso detectar una cierta influencia –particularmente en el diseño de Jimmy Olsen tal como aparece en *Relatos del mundo bizarro*– del estilo manga, cada vez más presente dentro de los comic-books yanquis. Queda en el aire la cuestión de si será por estos caminos o por otros por los que evolucionará a nivel gráfico y narrativo el Superman del futuro, pero siempre tendremos la esperanza de que sea cual sea el camino que tome, jamás nos dejará indiferentes.

Bajo el signo de Superman

La génesis de Superman no fue fácil. Jerome "Jerry" Siegel (1914-1996) y Joseph "Joe" Shuster (1914-1992), guionista y dibujante respectivamente, se conocen en 1931 en Cleveland, ciudad natal de Siegel, donde Shuster residía desde los 9 años de edad. Superman fue, en efecto, una de sus primeras creaciones. El embrión del personaje, inspirado en el protagonista de *Gladiator*, una novela de Philip Wylie, fue elaborado aquel mismo 1931. Al principio se trataba de un criminal, fruto de las experiencias de un científico loco, y la historia, titulada *The Ring of Superman*, fue publicada en 1933 en el fanzine de Siegel *Science Fiction*.

A partir de 1934, los dos autores propusieron al mismo personaje, reconvertido en héroe, a todos los periódicos norteamericanos, topándose con un desinterés generalizado. Desesperado, Shuster llegó a destruir las planchas originales, pero Siegel salvó la portada, la única imagen en color que retrataba al héroe ya con su uniforme en azul y rojo. En 1936, Siegel y Shuster colaboran para la National Comics (que más tarde se convertirá en DC Comics) en la entonces todavía naciente industria de los comic-books, realizando diversas series, entre ellas algunas de éxito como *Dr. Occult* y *Federal Man*, pero para el hombre de la capa roja no parece haber espacio. La ocasión surge en 1938 con el lanzamiento de un nuevo título en la National, *Action Comics*, en el que la historia de Superman abre el primer número. El contrato que unía a Siegel y Shuster a la National era habitual en la editorial y, en la práctica, establecía que los personajes pertenecían a la empresa. Por eso, aparte de sus creadores, muchos otros autores contribuyeron a realizar los cómics de Superman.

De entre todos ellos es a Curt Swan (1920-1996) a quien se debe la caracterización definitiva del héroe, así como la creación de buena parte de los personajes secundarios; Swan, que sustituyó en 1955 a Wayne Boring (1905-1987), sigue dibujando hasta 1986.

El estilo realista de Swan contribuyó de manera fundamental a la serie, hasta el punto de que "su" Superman fue el que Christopher Reeves tomó como modelo para la superproducción cinematográfica de 1978. La marcha de Curt Swan coincidió con el final de una época. Su última historia dibujada fue escrita por Alan Moore, el guionista inglés cuyo *Watchmen* es el inspirador de una revolución de contenidos y estilos que a mediados de los años ochenta da un inesperado soplo de vitalidad a los superhéroes, entonces en una profunda crisis.

En 1986 le correspondió a John Byrne (autor angloamericano colaborador habitual de Marvel) la ardua tarea de renovar el mito del Hombre de Acero. Habilísimo narrador y extraordinario virtuoso en el dibujo, Byrne, dotado de la capacidad instintiva de recoger y anticipar las expectativas del público, alcanza brillantemente su objetivo y el Superman de hoy en día deriva de su reinterpretación.

Los años noventa fueron dominados por el acontecimiento editorial más importante de la historia reciente del Hombre de Acero, orquestado y supervisado por Mike Carlin y Dan Jurgens: la publicación del ciclo *La muerte de Superman* (1992) y del consiguiente *El regreso de Superman* (1993). Con ventas cifradas en millones de ejemplares, aquella singular muerte provisional restituyó a Superman la primacía sobre la multitud de sucesores y competidores. Hoy, las cabeceras que aparecen regularmente en EE UU son supervisadas por un *group editor* capitaneado por Eddie Berganza, natural de Guatemala pero ciudadano de Nueva York, donde vive desde los 9 años de edad. Él es quien elige guionistas y dibujantes y, a partir de ahí, traza con líneas maestras la dirección del nuevo Superman. El guionista Jeph Loeb y el dibujante Ed McGuiness constituyen la pareja que mejor ha interpretado la caracterización del personaje proyectada hacia el futuro.

Las historias

El episodio *Superman* publicado en 1938 en el comic-book *Action Comics* marca el inicio de la leyenda del personaje. El primer superhéroe de la historia de los cómics fue moldeado a partir de la fisonomía del actor Douglas Fairbanks y el nombre de su alter-ego humano, Clark Kent, deriva de Clark Gable y de Kent Taylor, otros dos actores de Hollywood. Al traje de inspiración circense se le añadió rápidamente la capa roja para provocar el dinamismo de la figura y para explicar sus famosos saltos (al principio, Superman no volaba). Con algunas variantes, la historia fue redibujada al año siguiente en el nuevo cuaderno *Superman*, el primer comic-book de la historia con el nombre del protagonista como título.

Seguidamente, destacan las dos historias escritas por Alan Moore. Si *Para el hombre que lo tiene todo* reúne por vez primera en una publicación norteamericana a la pareja responsable del mítico *Watchmen*, ¿*Qué ocurrió con el hombre del mañana?* (1986), considerada por muchos la más bella historia de Superman jamás escrita, marca el adiós al concepto clásico del mito, antes del gran lanzamiento realizado aquel mismo año, cuando John Byrne tomó las riendas del destino del Hombre de Acero. De esa nueva fase se incluye la historia *Mundos diferentes*, en la cual el dibujo de Byrne queda realzado por el entintado sensual y detallado de George Pérez, y donde aparece un héroe rejuvenecido, más agresivo y más sensible a los encantos del otro sexo, representado por una Wonder Woman más hermosa que nunca.

El volumen concluye con dos historias de reciente factura escritas por Jeph Loeb, responsable de otra memorable historia de Superman, el clásico *Superman: Las cuatro estaciones*, dibujado por Tim Sale, y que aquí recupera a una serie de personajes clave en la mitología de Superman, como Bizarro, Jimmy Olsen, Supergirl e incluso... Krypto, el superperro. DC Comics está fraguando el Superman de después del 2000, un héroe que representa más que un símbolo y que invita a pensar en el futuro como una promesa de un mundo de maravillas al alcance de la próxima aventura.

Superman en España

F ue Hispano Americana de Ediciones quien presentó a Superman por vez primera al público español en 1941, rebautizándolo *Ciclón el super-hombre*, en una colección de la que aparecieron 16 números más un almanaque.

Editorial Dólar publicaría a Superman dentro de su línea de novelas gráficas en formato de bolsillo *Héroes modernos*, reproduciendo el material perteneciente a las tiras diarias del personaje, obra de Wayne Boring, apareciendo un total de 18 números entre 1959 y 1960.

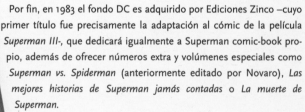

Entretanto, la mejicana Editorial Novaro, que publicaba a Superman desde principios de los cincuenta en formato comic-book, empezó a distribuirlos en España. En 1964, una orden del Ministerio de Información y Turismo del gobierno español de la época prohibiría la importación de los tebeos de éste y otros superhéroes, bajo la excusa de que el niño lector podía confundir a estos personajes con los ángeles y otros seres celestiales (!). El veto fue levantado en 1971, y Superman volvió a circular libremente por los quioscos españoles, pero, pocos años después, Novaro acabó por desaparecer del mercado español.

Editorial Valenciana le dedicó en 1975 un álbum en formato tabloide, para seguidamente serializar sus aventuras en su semanario *Jaimito* y, por fin ,dedicar una serie de cuadernos a *La familia Superman* dentro de su línea *Colosos del cómic*. En 1979, el material DC pasa a Bruguera, que otorgará a Superman su propia colección además de presentarlo en varios álbumes especiales.

Por fin, en 1983 el fondo DC es adquirido por Ediciones Zinco —cuyo primer título fue precisamente la adaptación al cómic de la película *Superman III*-, que dedicará igualmente a Superman comic-book propio, además de ofrecer números extra y volúmenes especiales como *Superman vs. Spiderman* (anteriormente editado por Novaro), *Las mejores historias de Superman jamás contadas* o *La muerte de Superman*.

Tras abandonar Zinco la edición de cómics en el año 1996, y después de un fugaz retorno de las importaciones mexicanas a cargo de la Editorial Vid, actualmente es la española Norma Editorial quien ofrece el material más reciente de Superman, presentándolo básicamente en volúmenes unitarios y miniseries, con un nivel de calidad impecable.

SUPERMAN

Superman

Guión • Jerry Siegel
Dibujos • Joe Shuster
Traducción y rotulación • Estudio Fénix

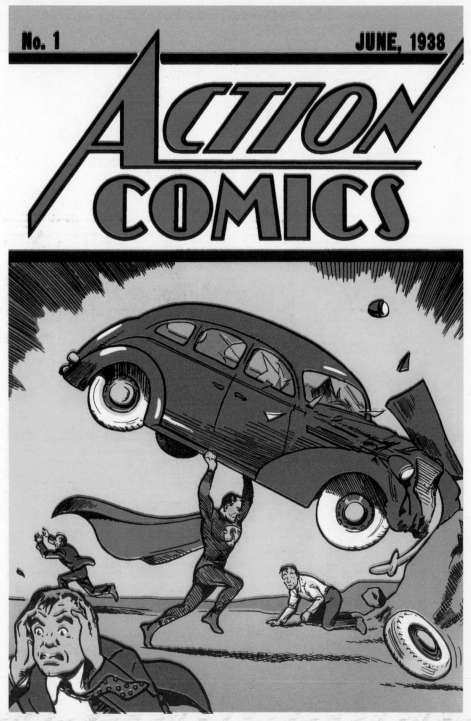

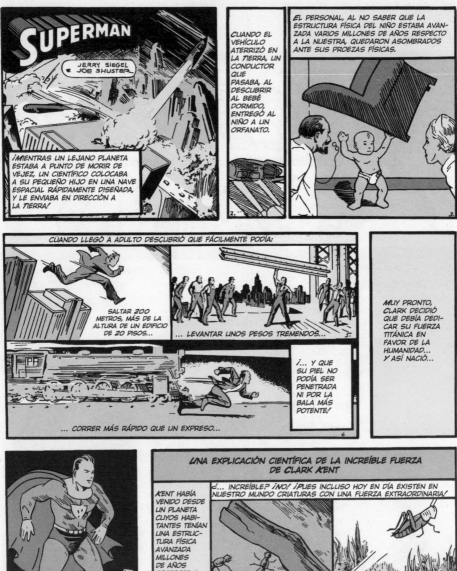

SUPERMAN

JERRY SIEGEL
JOE SHUSTER

¡MIENTRAS UN LEJANO PLANETA ESTABA A PUNTO DE MORIR DE VEJEZ, UN CIENTÍFICO COLOCABA A SU PEQUEÑO HIJO EN UNA NAVE ESPACIAL RÁPIDAMENTE DISEÑADA, Y LE ENVIABA EN DIRECCIÓN A LA TIERRA!

CUANDO EL VEHÍCULO ATERRIZÓ EN LA TIERRA, UN CONDUCTOR QUE PASABA, AL DESCUBRIR AL BEBÉ DORMIDO, ENTREGÓ AL NIÑO A UN ORFANATO.

EL PERSONAL, AL NO SABER QUE LA ESTRUCTURA FÍSICA DEL NIÑO ESTABA AVANZADA VARIOS MILLONES DE AÑOS RESPECTO A LA NUESTRA, QUEDARON ASOMBRADOS ANTE SUS PROEZAS FÍSICAS.

CUANDO LLEGÓ A ADULTO DESCUBRIÓ QUE FÁCILMENTE PODÍA:

SALTAR 200 METROS, MÁS DE LA ALTURA DE UN EDIFICIO DE 20 PISOS...

... LEVANTAR UNOS PESOS TREMENDOS...

... CORRER MÁS RÁPIDO QUE UN EXPRESO...

¡... Y QUE SU PIEL NO PODÍA SER PENETRADA NI POR LA BALA MÁS POTENTE!

MUY PRONTO, CLARK DECIDIÓ QUE DEBÍA DEDICAR SU FUERZA TITÁNICA EN FAVOR DE LA HUMANIDAD... Y ASÍ NACIÓ...

SUPERMAN

¡EL CAMPEÓN DE LOS OPRIMIDOS, LA MARAVILLA QUE HA JURADO DEDICAR SU EXISTENCIA A AYUDARA QUIENES LO NECESITAN!

UNA EXPLICACIÓN CIENTÍFICA DE LA INCREÍBLE FUERZA DE CLARK KENT

KENT HABÍA VENIDO DESDE UN PLANETA CUYOS HABITANTES TENÍAN UNA ESTRUCTURA FÍSICA AVANZADA MILLONES DE AÑOS RESPECTO A LA NUESTRA. ¡TRAS ALCANZAR LA MADUREZ, LOS MIEMBROS DE SU RAZA COBRABAN UNA FUERZA TITÁNICA!

¿... INCREÍBLE? ¡NO! ¡PUES INCLUSO HOY EN DÍA EXISTEN EN NUESTRO MUNDO CRIATURAS CON UNA FUERZA EXTRAORDINARIA!

LA HUMILDE HORMIGA PUEDE RESISTIR PESOS VARIOS CIENTOS DE VECES SUPERIORES AL SUYO.

EL SALTAMONTES DA SALTOS QUE PERMITIRÍAN A UN HOMBRE AVANZAR VARIAS MANZANAS.

LOS OCUPANTES DEL COCHE CAEN AL EXTERIOR...

LUEGO, SUPERMAN SE LIBRA DE BUTCH DE UN SOLO MOVIMIENTO...

¡... Y EL COCHE QUEDA DESTROZADO EN PEDAZOS!

¡UN MOMENTO, BUTCH!

¿TE IMPORTA?

SÓLO TARDARÉ UNOS SEGUNDOS...

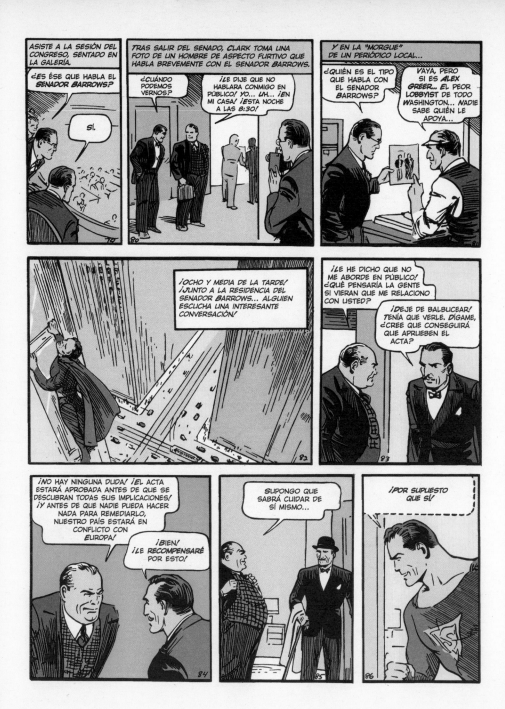

ASISTE A LA SESIÓN DEL CONGRESO, SENTADO EN LA GALERÍA.

¿ES ÉSE QUE HABLA EL SENADOR BARROWS?

SÍ.

TRAS SALIR DEL SENADO, CLARK TOMA UNA FOTO DE UN HOMBRE DE ASPECTO FURTIVO QUE HABLA BREVEMENTE CON EL SENADOR BARROWS.

¿CUÁNDO PODEMOS VERNOS?

¡LE DIJE QUE NO HABLARA CONMIGO EN PÚBLICO! YO... UH... ¡EN MI CASA! ¡ESTA NOCHE A LAS 8:30!

Y EN LA "MORGUE" DE UN PERIÓDICO LOCAL...

¿QUIÉN ES EL TIPO QUE HABLA CON EL SENADOR BARROWS?

VAYA, PERO SI ES ALEX GREER... EL PEOR LOBBYIST DE TODO WASHINGTON... NADIE SABE QUIÉN LE APOYA...

¡OCHO Y MEDIA DE LA TARDE! ¡JUNTO A LA RESIDENCIA DEL SENADOR BARROWS... ALGUIEN ESCUCHA UNA INTERESANTE CONVERSACIÓN!

¡LE HE DICHO QUE NO ME ABORDE EN PÚBLICO! ¿QUÉ PENSARÍA LA GENTE SI VIERAN QUE ME RELACIONO CON USTED?

¡DEJE DE BALBUCEAR! TENÍA QUE VERLE. DÍGAME, ¿CREE QUE CONSEGUIRÁ QUE APRUEBEN EL ACTA?

¡NO HAY NINGUNA DUDA! ¡EL ACTA ESTARÁ APROBADA ANTES DE QUE SE DESCUBRAN TODAS SUS IMPLICACIONES! ¡Y ANTES DE QUE NADIE PUEDA HACER NADA PARA REMEDIARLO, NUESTRO PAÍS ESTARÁ EN CONFLICTO CON EUROPA!

¡BIEN! ¡LE RECOMPENSARÉ POR ESTO!

SUPONGO QUE SABRÁ CUIDAR DE SÍ MISMO...

¡POR SUPUESTO QUE SÍ!

SUPERMAN

Para el hombre que lo tiene todo

Guión • Alan Moore
Dibujos • Dave Gibbons
Traducción y rotulación • Estudio Fénix

PRÓLOGO

AL OESTE DE LA CIUDAD, LA LUZ ROJA DEL ATARDECER SE REFLEJA A TRAVÉS DE LAS GIGANTESCAS MESETAS DE DIAMANTE. EL CIELO RIELA EN EL HORIZONTE, CON VELOS COLOR PASTEL ONDEANDO AL VIENTO.

DE CAMINO A CASA, CANSADO, ÉL NO APRECIA EL ESPECTÁCULO.

HA TRABAJADO EN EL INSTITUTO DE GEOLOGÍA DESDE EL AMANECER, CATALOGANDO DOSCIENTOS ESPECÍMENES DEL CRÁTER DE KANDOR.

LE DUELEN LOS OJOS. SE PREGUNTA SI VAN Y ORNA SEGUIRÁN DESPIERTOS.

DEL CUARTO DELANTERO BROTA EL RESPLANDOR ATENUADO DEL HOLOFACTOR. LOS NIÑOS ESTÁN VIENDO "NIGHTWING Y FLAMEBIRD". BIEN, ESTÁN DESPIERTOS.

LES LEERÁ OTRO CUENTO DE "LA JUNGLA ESCARLATA" ANTES DE LLEVARLES A LA CAMA, Y EL RESTO DE LA NOCHE SERÁ PARA ÉL Y LYLA...

... SÓLO ELLOS DOS.

¡SORPRESA! NO NOS HAS OÍDO, PADRE...

FELIZ CUMPLEAÑOS, KAL...

VAN LE TIRA DE LA TÚNICA, Y K'ARA ZOR-EL LE ENTREGA UNA NUEVA DIADEMA. EN EL HOLOFACTOR, NIGHT-WING SALVA A FLAMEBIRD DE UN DEVORADOR DE METAL ENLOQUECIDO.

SU CANSANCIO DESAPARECE. LE RODEA TODA SU FAMILIA.

ESTÁ CONTENTO.

S-4635

CÍRCULO POLAR ÁRTICO,
29 DE FEBRERO:

TE GANÉ.

SI ALGÚN DÍA DISEÑO UN BATIPLANO QUE RESPONDA A LAS ÓRDENES MENTALES, TAL VEZ TE PIDA LA REVANCHA.

ME ALEGRO DE VOLVER A VERTE, DIANA. ESTÁS GENIAL.

OH, ÉL ES JASON TODD...

OH, POR SUPUESTO, EL NUEVO ROBIN. LO SIENTO, JASON... TE PARECES TANTO A DICK QUE POR UN MOMENTO OLVIDÉ...

ENCANTADA DE CONOCERTE. BIENVENIDO A UN OFICIO INTERESANTE.

EN FIN, NOS HA DEJADO LA PUERTA ABIERTA. ENTREMOS ANTES DE QUE LOS DOS OS CONGELÉIS.

¿QUE NOS CONGELEMOS? ¿Y ELLA VA VESTIDA ASÍ?

QUIERO PENSAMIENTOS PUROS, AMIGO.

CADA VEZ QUE VENGO AQUÍ, ESA RAMPA DE HIELO HACIA LA ENTRADA ES MÁS INCLINADA. OJALÁ ALGUIEN LE AVISARA DE QUE NO TODOS PODEMOS VOLAR.

¿ES LA PRIMERA VEZ QUE VISITAS LA FORTALEZA, JASON?

UH, SÍ.

BUENO, VI A SUPERMAN UNA VEZ, PERO AÚN NO, EH, LE CONOZCO TAN BIEN.

ES UN LUGAR GRANDE, ¿NO? SEGURO QUE AQUÍ HAY COSAS QUE DAN MIEDO...

BUENO, SI AL FINAL TE GANAS LA VIDA TRAS LA MÁSCARA, VERÁS COSAS MUCHO PEORES.

POR CIERTO, DIANA, ¿QUÉ CLASE DE REGALO HAS DECIDIDO TRAERLE?

NO TE VOY A DECIR NADA. ME OIRÁ Y SE ECHARÁ A PERDER LA SORPRESA.

¿OÍR? PERO SI NI SIQUIERA ANDA CERCA. NO...

OH, OH, VALE, ES SUPERMAN. LO OLVIDABA.

ELEGIR UN REGALO PARA ÉL SIEMPRE ES DIFÍCIL.

ESTE AÑO HE PAGADO A UN HORTICULTOR PARA QUE CRIARA UNA NUEVA VARIEDAD DE ROSA LLAMADA "KRYPTON". ESTOY BASTANTE SEGURO DE QUE NADIE LE TRAERÁ FLORES...

UH, BRUCE...

TAL VEZ NO SEA DEMASIADO TARDE PARA CAMBIARLO POR OTRA COSA...

¿TIENES LA FACTURA?

3

¿KAL?

¿POR QUÉ SIGUES MIRANDO POR LA VENTANA? LAS LUCES DE LA PARAGÓNDOLA DE LA *TÍA ALLLURA* SE HAN APAGADO HACE CINCO UNIDADES.

TODOS SE HAN IDO A CASA.

NO SÉ... ES SÓLO QUE...

BUENO, ME HABRÍA GUSTADO QUE MI PADRE ESTUVIESE AQUÍ HOY...

YO LE INVITÉ, PERO CUANDO LE DIJE QUE ALLURA Y KARA TAMBIÉN VENDRÍAN, DIJO QUE ESTABA OCUPADO...

ES TAN POCO RAZONABLE, *KAL*... SÉ QUE DISCUTIÓ CON SU HERMANO, PERO ZOR-EL YA LLEVA *MUERTO* TRES AÑOS...

MI PADRE SIGUE SIN HA-BLARSE CON *ALLURA* Y *KARA*. ES ESTÚPIDO.

UNA DISCUSIÓN ESTÚPIDA SOBRE POLÍTICA.

BUENO, TAMPOCO ES MUY DIFÍCIL DISCUTIR SOBRE POLÍ-TICA CON JOR-EL ESTOS DÍAS...

¿POR QUÉ NO LE VAS A VISITAR MAÑANA, AL SALIR DEL TRABA-JO? NO TE PREOCUPES POR ESO HOY. ES TU CUMPLEAÑOS.

LOS ROBOCRIADOS LO LIMPIARÁN TODO. VAMOS A LA CAMA.

LYLA, ¿POR QUÉ DEJASTE TU CARRERA COMO ACTRIZ POR ESTO?

NO LO SÉ, KAL.

RECUÉR-DAMELO.

KAL, LOR-EM TIENE A MUCHA GENTE TRAS ÉL. GENTE INFLUYENTE.

SI EL MOVIMIENTO DE LA VIEJA KRYPTON PRETENDE TENER ALGUNA INFLUENCIA POLÍTICA EN LA CÁMARA...

¿MOVIMIENTO DE LA VIEJA KRYPTON? ¿DE VERAS VAS A SEGUIR CON ESO?

ALGUIEN TIENE QUE HACERLO.

MIRA A TU ALREDEDOR, KAL. ¿QUÉ HA SIDO DE KRYPTON? HAY TRÁFICO DE DROGAS EN SALES DE GLAMOR Y EN FLORES INFERNALES LLEGADAS DE ERKOL...

HAY PROBLEMAS RACIALES CON LOS INMIGRANTES DE LA ISLA VATHLO...

PADRE, KRYPTON CAMBIA, Y EL CAMBIO SIEMPRE ES DIFÍCIL. LOS GRUPOS POLÍTICOS EXTREMISTAS NO FACILITAN LAS COSAS...

¿... Y RASCAR PIEDRAS EN EL CRÁTER DE KANDOR SÍ, SUPONGO...?

TENÍA GRANDES ESPERANZAS PARA TI, KAL...

ESO NO ES JUSTO...

¿Y BIEN? ¿HA SIDO ALGUIEN ALGUNA VEZ JUSTO CONMIGO? ¿FUE JUSTO QUE ME OBLIGARAN A RETIRARME DEL CONCILIO CIENTÍFICO?

¿FUE JUSTO QUE LA ENFERMEDAD DEVORADORA SE LLEVARA A TU MADRE?

ESO FUE HACE VEINTE AÑOS. SÉ QUE EL CONCILIO CIENTÍFICO TE TRATÓ MAL, PERO...

¿MAL? ¡DEJARON ENTREVER QUE ESTABA LOCO!

MUY BIEN, MI TEORÍA ERA INCORRECTA. CREÍA QUE KRYPTON ESTABA CONDENADA Y ME EQUIVOQUÉ...

¿LES DA ESO EL DERECHO DE DEJARME A UN LADO, Y DEJAR QUE LA SOCIEDAD SE DESMORONE? VERÁS, HE OÍDO QUE HAN INICIADO UNA CAMPAÑA PARA LIBERAR A LOS CRIMINALES DE LA ZONA FANTASMA. "CASTIGO INNECESARIAMENTE SEVERO", DICEN...

PADRE...

8

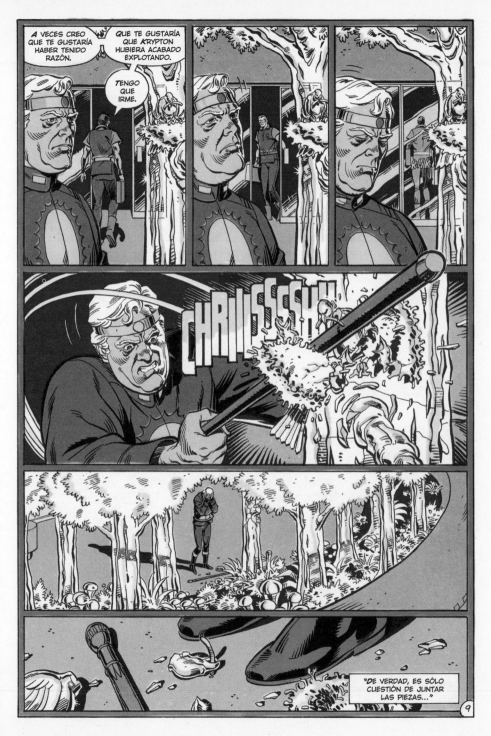

PRIMERO, SABÍA PERFECTAMENTE LO QUE LE HARÍA.

Y SEGUNDO, NO PRETENDÍA SER UNA MUESTRA DE GRATITUD.

¿QUÉ ES ESO?

NO LO SÉ. ALÉJATE LENTAMENTE. TAL VEZ PODAMOS GANAR TIEMPO...

UH, ¿QUÉ ES EXACTAMENTE ESA CRIATURA?

¿TE GUSTA?

LA LLAMAN "PIEDAD NEGRA". HICE UN LARGO VIAJE A LAS ZONAS ENMARAÑADAS PARA LOCALIZARLA.

... OH, Y POR FAVOR, DILE A LA CRIATURITA AMARILLA QUE DEJE DE REMOVERSE. ME DISTRAE.

ES UNA MEZCLA ENTRE PLANTA Y HONGO INTELIGENTE. SE ADHIERE A LA VÍCTIMA EN UNA ESPECIE DE SIMBIOSIS QUE SE ALIMENTA DE SU BIO-AURA.

¿Y QUÉ SE SUPONE QUE LE DA A CAMBIO?

PUES LE CONCEDE SU DESEO MÁS ÍNTIMO.

A MÍ ME PARECE JUSTO, ¿NO?

ES TELÉPATA. LEE A LAS VÍCTIMAS COMO UN LIBRO Y LAS ALIMENTA DE SIMULACIONES LÓGICAS CON LA CULMINACIÓN FELIZ QUE ÉSTAS DESEAN...

POR SUPUESTO, LA VÍCTIMA PODRÍA LIBRARSE...

... PERO SIMPLEMENTE NO QUIERE.

11

SE LA ENVIÉ Y, CUANDO ESTUVE SEGURO DE QUE HABÍA HECHO SU TRABAJO, LA SEGUÍ A TRAVÉS DEL CANAL DE TELEPORTACIÓN.

POBRE CRIATURITA... ME PREGUNTO DÓNDE CREE QUE ESTÁ...

TAL VEZ ESTÉ JUGANDO FELIZ COMO UN NIÑO EN CUALQUIERA QUE FUERA EL MUNDO RETRASADO Y SÓRDIDO EN EL QUE SE CRIÓ, O SALTANDO EN EL REGAZO DE SU MADRE...

ESO SERÍA GENIAL, ¿VERDAD? ¡IMAGINÁOSLO, FELIZ Y DESPREOCUPADO...

PARA SIEMPRE.

¿QUÉ... ERES TÚ?

SI NO SABES CÓMO ME LLAMO, ES QUE NO MERECES QUE ME PRESENTE.

SOY EL NUEVO MANDAMÁS DE TODO ESTO.

POR SUPUESTO, NECESITARÉ TIEMPO PARA ESTABLECERME Y AJUSTARME A VUESTRAS INTERESANTES COSTUMBRES...

POR EJEMPLO, SÉ QUE VUESTRA SOCIEDAD HACE DISTINCIONES SEGÚN EL SEXO Y LA EDAD... TAL VEZ PODÁIS ACONSEJARME...

¿A CUÁL DE VOSOTROS SERÍA MÁS CORRECTO MATAR ANTES?

¡HE HECHO UNA PREGUNTA!

¿POR QUÉ NADIE ME RESPONDE?

VIUDA ZOR-EL, POR FAVOR...

¿TÍA ALLURA?

RECIBÍ EL MENSAJE QUE ME DEJASTE EN MI CUBO DE LLAMADAS Y VINE DIRECTAMENTE. ESTABA CUIDANDO DE VAN, ASÍ QUE ME TEMO QUE TUVE QUE TRAER...

¡OH, KAL! KAL, HA...

VIUDA ZOR-EL, POR FAVOR, VENGA POR AQUÍ. PODRÁ VER A SU HIJA ENSEGUIDA...

¿KARA?

¿LE HA PASADO ALGO A KARA? ¿QUÉ ESTÁ OCURRIENDO?

¿ES USTED KAL-EL? ¿EL PRIMO DE LA CHICA?

SÍ. PERO...

¿PADRE? PADRE, ¿SE HA HECHO DAÑO LA TÍA ALLURA? ESTABA LLORANDO...

PERO... ¿POR QUÉ?

ME TEMO QUE KARA ZOR-EL FUE ASALTADA ESTA TARDE POR ALGUNOS ALBOROTADORES ARMADOS CON VARACUCHILLOS. ESTÁ MUY GRAVE.

ENCONTRARON ESTO.

LO LLEVABA ATADO AL CUELLO...

¿PADRE?

14

44

51

EMPIEZAN A LLORARLE LOS OJOS, Y CREO QUE SE HA MOVIDO UN POCO. TAL VEZ ESTÁ LUCHANDO...

DAME ESOS GUANTES CON QUE ESA CRIATURA ENORME LO HA TOCADO ANTES...

PADRE, ESTOY ASUSTADO. DICES COSAS RARAS...

¿PERO NO LO VES? ¡TODO VA MAL! ¡KRYPTON NO DEBERÍA HABER ACABADO ASÍ!

¡ESTO NO DEBERÍA HABER OCURRIDO! ¡NADA DE ESTO!

UNO DE LOS ZARCILLOS SE SUELTA. ESTÁ RELAJANDO SU PRESA SOBRE ÉL...

BRUCE, TENGO LOS GUANTES...

¡QUIERO VER A MI MADRE! ¡QUIERO VER A ORNA!

¿VAN? OH, HIJO MÍO, TE PIERDO... POR FAVOR...

POR FAVOR, DEJA QUE TE ABRACE UNA VEZ MÁS...

OLVÍDATE DE LOS GUANTES...

CREO QUE YA SE ESTÁ...

¡¡VAN!!

23

OH, NO. YO NO PUEDO MANEJAR ESTO.

BRUCE, DESPIERTA...

LA POLICÍA SE LLEVA AL LADRÓN Y EL NIÑO ESTÁ A SALVO EN BRAZOS DE SU MADRE.

LA OSCURA NUBE DE TERROR QUE HABÍA ALETEADO POR SU MENTE SE DESVANECE, DISPERSÁNDOSE PARA SIEMPRE.

Y ESTÁ CONTENTO.

POR FAVOR, POR FAVOR, DESPIERTA. NO SÉ SI UN CUERPO HUMANO PUEDE SOPORTAR EL CONTACTO CON ESTA BAZOFIA. Y AUNQUE NO HAYA HECHO NINGÚN DAÑO A...

... SUPERMAN.

¿QUIÉN... ME HA... HECHO... ESTO?

NO...
NO LO SÉ.

UN TIPO AMARILLO ENORME. ESTÁ AHÍ, APALEANDO A WONDER WOMAN...

¿SUPERMAN? ¿ESTÁS BIEN? PARECES, NO SÉ, UH...

MONGUL...

¡SUPERMAN! ESPERA...

FFWOOSH

OYE UNA VOZ APOCALÍPTICA PRONUNCIANDO SU NOMBRE, Y COMIENZA A GIRARSE...

SABE QUE TAL VEZ TIENE MENOS DE MEDIO SEGUNDO PARA DEFENDERSE...

26

¿QUÉ VOY A HACER CON BRUCE? NO PUEDO...

UH...

COMIENZA A MANIPULAR LOS SISTEMAS DE ARMAS DE SU ARMADURA, DEJANDO QUE LA MUJER INCONSCIENTE SE DESPLOME EN EL SUELO...

... PERO LA ROCA QUE HAY EN LA PARED COMIENZA A EXPLOTAR ANTE UNA SÚBITA OLEADA DE ENERGÍA...

... Y UN VIENTO DE 600 KILÓMETROS POR HORA LE ALCANZA COMO UN MARTILLO PILÓN TAN GRANDE COMO ESTE MUNDO.

... Y ENTONCES SABE QUE YA ES DEMASIADO TARDE.

27

58

LOS OJOS ESCUPEN SOLES. LOS MÚSCULOS SE MUEVEN COMO PLACAS TECTÓNICAS, FURIOSAS BAJO UNA PIEL DE CUERO DISTORSIONADO...

EN LA CÁMARA DE LOS ARCHIVOS, UNA MÁQUINA CON UN CEREBRO HECHO DE LUZ CUENTA LOS PÚLSARES LEJANOS.

A TRES METROS DE SU ENSOÑA-CIÓN ALGEBRAICA, MOTORES DE FURIA ALIENÍGENA CHOCAN SIN QUE NADIE LOS VEA.

SOBREEXCITADOS, TRES LÉGAMOS VIVOS PROCEDENTES DE MINRAUD *IV* SE EVAPORAN POR COMPLETO, DEJANDO UN TENUE OLOR A GASOLINA.

SU ODIO SÓLO PUEDE MEDIRSE MEDIANTE EL INTERMITENTE LATIDO DE LEJANOS SISMÓGRAFOS.

LA RENDICIÓN NO ES UNA OPCIÓN.

AMBOS SON INDES-TRUCTIBLES. AMBOS SE DAÑAN MUTUAMENTE.

AMBOS SON IRRESIS-TIBLES, Y CONOCEN LA FRUSTRACIÓN...

32

... Y ÉL DESVÍA LA COSA HACIA UN LADO, REDUCIENDO AL CHICO A CENIZAS CON UN IMPULSO DE SUS CIRCUITOS...

... LUEGO LE ARRANCA LA CABEZA AL KRYPTONIANO, RIÉNDOSE DE CÓMO SUS OJOS SE PONEN EN BLANCO UNOS SEGUNDOS DESPUÉS DE SU MUERTE...

... ENTONCES LA PONE EN UNA PICA Y SE DISPONE A APLASTAR EL MUNDO, LLEVÁNDOLA ANTE ÉL COMO UN HORRENDO ESTANDARTE.

SE ACABÓ.

36

MÁS TARDE...

¿CÓMO TE ENCUENTRAS?

AÚN ESTOY ALGO DÉBIL. ERA TAN EXTRAÑO... ESTABA CASADO CON *KATHY KANE* Y TENÍAMOS UNA HIJA ADOLESCENTE.

TENGO UN POCO DE ENVIDIA. DEBE DE SER MARAVILLOSO DESCUBRIR CUÁL ES TU DESEO MÁS ÍNTIMO.

MONGUL PARECE ESTAR PASÁNDOSELO MUY BIEN.

¿QUÉ HARÁS CON ÉL, SUPERMAN?

VOY A PONERLE EN ALGÚN LUGAR SEGURO.

¿QUIERES DECIR UNA PRISIÓN, O...?

NO EXACTAMENTE. ¿HAS VISTO ESE AGUJERO NEGRO QUE HAY DE CAMINO HACIA LA *VÍA LÁCTEA* POR EL BRAZO OCCIDENTAL DE LA GALAXIA?

OH, NO, LA VERDAD ES QUE NO LO HE VISTO.

ES BASTANTE GRANDE. CREO QUE LO TIRARÉ ALLÍ.

ES UN DUPLICADO EXACTO DE LA CIUDAD EMBOTELLADA DE KAN-DOR, PARA REEMPLA-ZAR A LA AUTÉNTICA, QUE RECUPERÓ SU TAMAÑO NORMAL.

LA HICIERON LOS ORFEBRES DE *ISLA PARAÍSO*. NECESITAS VISIÓN DE RAYOS-*X* Y MICROSCÓPICA PARA APRE-CIARLA DE VERDAD...

¿*KAL*? AHORA QUE HEMOS ROTO EL HIELO DE LA FIESTA DE CUMPLEAÑOS, ¿TE PUEDO DAR ESTO?

OH. UH...

VAYA, DIANA, ES...

37

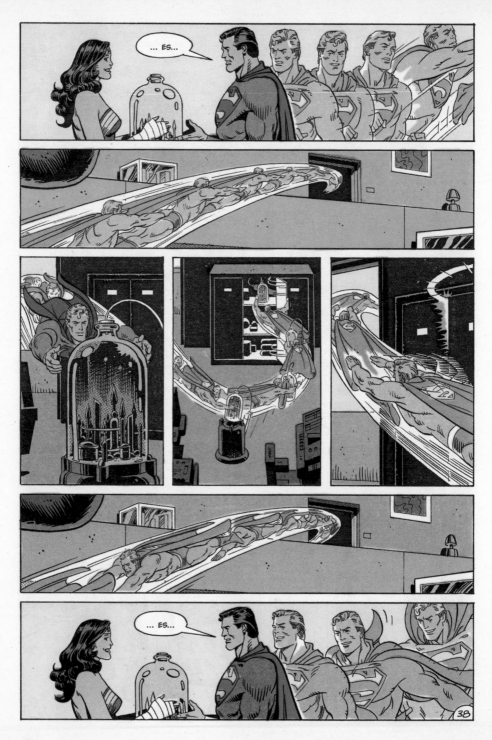

DAVE
GIBBONS

S-4687

SUPERMAN

¿Qué ocurrió con el hombre del mañana?

Guión • Alan Moore
Dibujos • Curt Swan y George Pérez
Traducción y rotulación • Estudio Fénix

LISTOS... CON ESTO BASTARÁ.

E... ESTOY UN POCO NERVIOSO CON LA ENTREVISTA, SRA. ELLIOT. ES USTED UNA LEYENDA EN EL *DAILY PLANET*. SUPONGO QUE LO ESTARÉ HACIENDO MAL...

LO ESTÁ HACIENDO BIEN... Y LLÁMEME LOIS.

LOIS. CLARO.

SUPONGO QUE DEBERÍA EMPEZAR PREGUNTÁNDOLE POR LOS AÑOS INMEDIATAMENTE ANTERIORES A LA DESAPARICIÓN Y PRESUNTA MUERTE DE SUPERMAN.

¿FUERON TIEMPOS FELICES?

¿FELICES? NO SÉ... HUBO UN POCO DE TODO, COMO CASI SIEMPRE...

... PERO AL MENOS FUERON TRANQUILOS.

LUTHOR PARECÍA DEDICARSE A OTRAS COSAS, Y DOS AÑOS ANTES EL ÚLTIMO CUERPO DE METAL ORGÁNICO DE *BRAINIAC* HABÍA SIDO DESTRUIDO SIN ESPERANZAS DE REPARACIÓN.

POR LO QUE RECUERDO, LUEGO SUPERMAN RECUPERARÍA LOS FRAGMENTOS, SALVO LA CABEZA.

EL *PARÁSITO* Y *TERRA-MAN* SE HABÍAN DESTRUIDO MUTUAMENTE EN UN CHOQUE DE EGOS LETAL, Y PARECÍA QUE YA NO QUEDABA NADIE CON QUIÉN LUCHAR.

SUPERMAN ANDABA A MENUDO EN EL ESPACIO, INVESTIGANDO PARA EL GOBIERNO.

FUE MIENTRAS REGRESABA DE UNA DE ESAS MISIONES EN EL ESPACIO CUANDO VIMOS EL PRIMER ATISBO DE LA *CARNICERÍA* QUE ESTABA A PUNTO DE LLEGAR...

78

81

82

"NO COSTÓ NADA NEUTRALIZARLES, PERO NO FUERON CAPACES DE DECIRLE POR QUÉ DE PRONTO HABÍAN DECIDIDO COMENZAR A MATAR A TODOS SUS AMIGOS."

"CUANDO SE LO PREGUNTÓ, PARECÍAN CONFUSOS Y ATURDIDOS."

"..., Y, NATURALMENTE, PONERLES ENTRE REJAS NO ARREGLÓ EL DAÑO SIN SENTIDO QUE HABÍAN CAUSADO. PETE ROSS SEGUÍA MUERTO..."

"... AL IGUAL QUE CLARK KENT. UNA VEZ SE REVELÓ PÚBLICAMENTE SU IDENTIDAD SECRETA, LA ABANDONÓ."

"RECUERDO QUE, TRAS EL FUNERAL DE PETE, HABLÓ CON TODOS. DE SUS MIEDOS, DE SUS PREOCUPACIONES..."

TODO ESTO ME DA MALA ESPINA. BIZARRO, EL BROMISTA, EL JUGUETERO... ANTES NO ERAN MÁS QUE PEQUEÑAS MOLESTIAS.

¿QUÉ LOS CONVIRTIÓ EN ASESINOS?

CLARK KENT ES SUPERMAN

DURANTE TODOS ESTOS AÑOS, MI PEOR PESADILLA FUE QUE ALGUIEN ME ATACARA A TRAVÉS DE MIS AMIGOS. AHORA, SE HA HECHO REALIDAD.

OYE, BIZARRO HA MUERTO Y LOS DEMÁS ESTÁN ENTRE REJAS. ¿QUÉ TE PREOCUPA?

NO... NO LO SÉ. ES ALGO IRRACIONAL... NO SÉ... SI LAS MOLESTIAS DE MI PASADO REGRESAN AHORA COMO ASESINOS...

¿... QUÉ PASARÁ CUANDO REGRESEN LOS ASESINOS?

NO TUVO QUE DAR NINGÚN NOMBRE. TODOS SABÍAMOS DE QUIÉNES HABLABA. DE LOS PECES GORDOS: LUTHOR, BRAINIAC... ¿Y SI VOLVÍAN, AÚN MÁS VIOLENTOS QUE ANTES?

UH... CREÍA QUE BRAINIAC HABÍA SIDO DESTRUIDO...

NO FUIMOS CONSCIENTES DEL REGRESO DE BRAINIAC HASTA MÁS ADELANTE. EN METRÓPOLIS, SIN EMBARGO, TENÍAMOS NUESTROS PROPIOS PROBLEMAS.

RECUERDO QUE FUE UN PAR DE DÍAS DESPUÉS DEL FUNERAL DE PETE...

"EL DÍA EN QUE SUPERMAN PERDIÓ UN PLANETA POR SEGUNDA VEZ EN SU VIDA..."

"ESTÁBAMOS TRABAJANDO EN LA OFICINA. EL AIRE ACONDICIONADO ESTABA ESTROPEADO, Y AFUERA LAS ACERAS ESTABAN DERRITIÉNDOSE, REPLETAS DE GENTE..."

"SEGÚN INFORMES POSTERIORES, ALGUNOS DE LOS TRANSEÚNTES SE DETUVIERON DE PRONTO Y MIRARON HACIA ARRIBA."

COMO SI ENTRE ELLOS SE HUBIERA PRODUCIDO ALGUNA COMUNICACIÓN INVISIBLE."

¡EH! ¡EH, CARIÑO! ¡PARECES ACALORADO Y PREOCUPADO! ¿TE IRÍA BIEN UNA CITA?

VENGA... ¿QUÉ PUEDES PERDER?

POR VEINTE PAVOS TE PODRÍA ROMPER EL CORAZÓN.

LO DUDO.

¡EEEEEEEE!

SHOOMF

FUERA DE MI CAMINO. ES A LA MUJER A QUIEN MÁS DESEO MATAR, A LA FURCIA AMANTE DE LOS ALIENÍGENAS...

UNGH.

¡AAAH! ¡SUÉLTAME! SUELTA...

... ME...

"LO QUE OCURRIÓ A CONTINUACIÓN TUVO LA FAMILIARIDAD DE UN SUEÑO RECURRENTE. ESTABA CAYENDO, Y UN COMETA VIOLETA CAÍA JUNTO A MÍ."

"EL ROJO Y EL AZUL JUNTOS, ÉSE ERA EL ASPECTO QUE TENÍA CUANDO VOLABA..."

"... UN COMETA VIOLETA."

AGUANTA, LOIS.

NO SÉ CÓMO HA CONSEGUIDO METALLO CONVERTIR A TANTOS HUMANOS EN CRIATURAS COMO ÉL MISMO, PERO HAY UNA FORMA RÁPIDA DE DETENERLES A TODOS.

L-LO QUE TÚ DIGAS.

¿QUÉ HACES...?

FROTA CUALQUIER VARA DE HIERRO EN LA MISMA DIRECCIÓN DURANTE EL TIEMPO NECESARIO, Y ALI-NEARÁS LOS POLOS MAGNÉTICOS DE SUS PARTÍCULAS, CONVIRTIÉNDOLO EN UN IMÁN...

91

...O, EN ESTE CASO, UN *SUPER IMÁN*.

RRRDEVNNCH

"*LEVANTÓ EL ORBE IMANTADO HACIA EL CIELO, POR ENCIMA DEL EDIFICIO GALAXY.*"

"*RECUERDO QUE RECÉ PARA QUE NO LO HUBIERA HECHO LO BASTANTE POTENTE PARA ATRAER A LOS COCHES DE LA CALLE, PERO NO DEBÍA PREO CUPARME.*"

"*LO HABÍA CALCULADO TODO A LA PERFECCIÓN.*"

"*¡COMO SIEMPRE!*"

"*CUANDO REUNIÓ A TODOS LOS METALLOS... JUNTO CON LA MAYORÍA DE METAL DE LAS OFICINAS DEL PLANET... LLE-VÓ VOLANDO A LOS ROBOTS PARALIZADOS HASTA EL COMPLEJO CARCELARIO DE SANTA THERESA.*"

"*CREO QUE CASI TODOS ELLOS FUERON REHUMANIZADOS MÁS TARDE.*"

"*CUANDO REGRESÓ, PARECÍA TAN DESTRUIDO COMO LAS OFICINAS DEL PLANET.*"

"*INSISTIÓ EN LLEVAR A TODOS SUS AMIGOS MÁS CERCANOS A LA FORTALEZA DE LA SOLEDAD, DONDE PODRÍA DEFENDERLES SI LA SITUACIÓN SEGUÍA EMPEORANDO.*"

"*COGIÓ A LANA Y A LA MUJER DE PERRY WHITE, ALICE. ALICE Y PERRY NO SE LLEVABAN MUY BIEN, ELLA ESTABA MUY CONFUSA Y ASUSTADA.*"

"*TODOS ESTÁBAMOS TENSOS. NOS RODEABA UNA SENSACIÓN OMINOSA...*"

"AL FINAL TODOS NOS FUIMOS A LA *FORTALEZA*. HACÍA MUCHO QUE NO IBA POR ALLÍ, PERO SEGUÍA IGUAL... GRANDE, REMOTA Y SOLITARIA."

"NO LA LLAMABAN LA FORTALEZA DE LA SOLEDAD POR NADA."

"EN BREVE SE NOS UNIÓ OTRO VIEJO AMIGO. *KRYPTO* LLEVABA AÑOS VIAJANDO POR LAS ESTRELLAS, PERO HABÍA REGRESADO."

"¿POR QUÉ, A MENOS QUE HUBIERA SENTIDO LO MISMO QUE EL RESTO DE NOS-OTROS? A PESAR DE NUESTROS ABRAZOS, SU LLEGADA VINO ACOMPAÑADA DE UNA SENSACIÓN ACIAGA..."

"CREO QUE NOTAMOS QUE NOS HABÍAMOS IDO DE LA CIUDAD JUSTO A TIEMPO."

¿DÓNDE ESTÁ? ¿POR QUÉ NO SALE ESE COBARDE CON CAPA Y MUERE COMO UN HOMBRE?

SUJETO IDENTIFICADO. REFERENCIA: HOMBRE KRYPTONITA. NO SOMOS LOS ÚNICOS QUE HEMOS DECIDIDO VENIR AQUÍ.

AL PARECER SUPERMAN HA HUIDO AL CÍRCULO ÁRTICO. EL HOMBRE KRYPTONITA, AUNQUE LIMITADO INTELEC-TUALMENTE, ES UN ARMA LETAL ABSOLUTAMENTE IDEAL.

ESTA NAVE REMODELADA, PESE A SER INFERIOR A MI EMBARCACIÓN SENSITIVA ORIGINAL, NOS LLEVARÁ HASTA EL NORTE MUCHO MÁS RÁPIDO QUE EL VEHÍCULO EN EL QUE LLEGAMOS.

PROPONGO QUE LO LLEVEMOS CON NOSOTROS.

¿OBJECIONES?

MUY BIEN.

ENTONCES, PROCEDAMOS.

"AUNQUE EN LA FORTALEZA, EN LA CIMA DEL MUNDO, HABÍA UN SILENCIO DE MUERTE, SI UNO SE ESFORZABA POR ESCU-CHAR, PODÍA OÍR A LOS BUITRES REUNIÉNDOSE."

"NOS PREPARÓ UNA COMIDA Y LUEGO LLEGÓ LA HORA DE ACOSTARSE. NOS ENSEÑÓ LAS HABITACIONES PARA HUÉSPEDES, Y SE PUSO TRISTE CUANDO ACOMPAÑÓ A PERRY Y ALICE A HABITACIONES SEPARADAS."

"NO PODÍA DORMIR, ASÍ QUE LLAMÉ A LA PUERTA DE LA HABITACIÓN DE LANA, AL LADO DE LA MÍA. A LO LARGO DE LOS AÑOS HABÍAMOS SIDO RIVALES, AMIGAS INCÓMODAS Y, POR ÚLTIMO, EXTRAÑAS."

"AQUELLA NOCHE, NADA DE ESO IMPORTABA."

"LAS DOS LE AMÁBAMOS, LAS DOS ESTÁBAMOS ASUSTADAS DE QUE PUDIERA MORIR, Y DESPUÉS DE HABERLO EXPRESADO EN PALABRAS, LAS DOS LLORAMOS Y NOS AYUDAMOS MUTUAMENTE HASTA QUE CAÍMOS DORMIDAS."

"EN CUANTO A SUPERMAN..."

"... BUENO, ÉL TAMBIÉN DEBÍA DE SENTIRSE INQUIETO, PERO DE FORMA DIFERENTE. O SEA, TODOS TENÍAMOS PROBLEMAS PARA DORMIR..."

"...PERO ÉL NO NECESITABA DORMIR."

YA SABES A QUÉ ME REFIERO. LOS ANIMALES TAMBIÉN TIENEN ESAS SENSACIONES, CUANDO SABEN...

¡RRRRAF! ¡RRRRAF!

¿QUÉ? ¿QUÉ PASA? ¿HAY ALGO...?

ME ALEGRO DE QUE HAYAS VUELTO, KRYPTO. ERES PARTE DE MI VIDA, ¿LO SABÍAS?

HAFF...

NO SÉ... SIENTO COMO SI TODAS LAS PARTES DE MI VIDA SE ESTUVIE-SEN JUNTANDO POR FIN.

B-BUENO, NUESTRA HISTORIA SEÑALA ESTA FECHA COMO UN MOMENTO ESPECIAL EN TU VIDA. POR LO TANTO, HEMOS VENIDO A VERTE DE NUEVO, A SALUDARTE Y A...

...PRESENTAR-ME VUESTROS ÚLTIMOS RESPETOS.

¿ES ESO?

¿PRIMO...?

SE ME HA OCURRIDO UNA COSA

COMO SUPERGIRL DE ESTA ÉPOCA, ¿ESTOY VISITANDO OTRO PERIODO TEMPORAL, O ALGO ASÍ? PORQUE CREÍA QUE NO PODÍAS MATERIALIZARTE EN UNA ÉPOCA EN LA QUE YA EXISTÍAS...

UH, SÍ. SÍ, TIENES RAZÓN...

AHORA MISMO, SUPERGIRL... SUPERGIRL ESTÁ EN EL PASADO.

UH, TAL VEZ DEBERÍAMOS VOLVER A NUESTRO SIGLO XXX, PARA EVITAR CUALQUIER PROBLEMA EN CASO DE QUE LA SUPERGIRL DE ESTA ÉPOCA REGRESARA, UH, INESPERA-DAMENTE.

BUENO, SUPONGO QUE SÍ. DAME RECUERDOS CUANDO REGRESE DEL PASADO.

ADIÓS, SUPERMAN. SIEMPRE... TE ECHARE-MOS DE MENOS.

BRAINIAC, ¿PODEMOS IRNOS? TENGO LOS OJOS LLOROSOS. DEBE DE SER ALGÚN VIRUS DEL SIGLO XX...

"NUNCA ME DIJO QUÉ OCURRIÓ EXACTAMENTE ESA NOCHE ANTES DE QUE EMPEZAR EL ASEDIO, PERO EN CUANTO LE VI AL DÍA SIGUIENTE, SUPE QUE ALGO LE PREOCUPABA."

"TENÍA UN ASPECTO RARO."

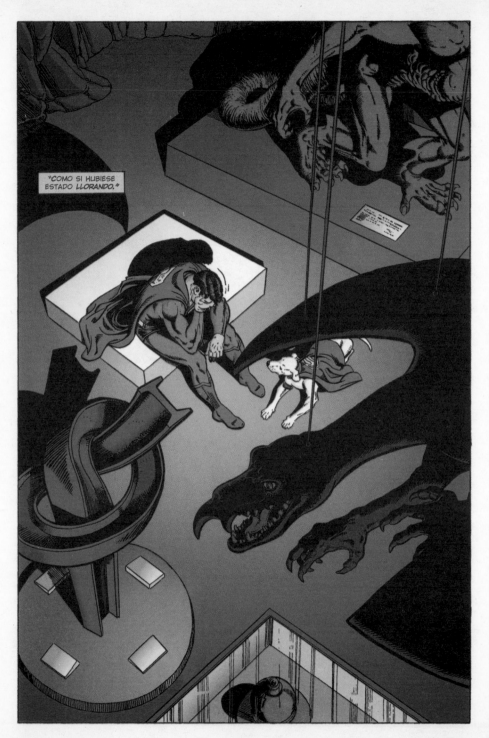

¿MÁS CAFÉ, TIM? LAS ENTREVISTAS SIEMPRE ME DAN SED, DE TANTO HABLAR.

DEBES DE ESTAR MUY ABURRIDO.

¡OH, NO! ¡ESTO ES JUSTO LO QUE LA EDICIÓN CONMEMORATIVA DEL PLANET NECESITA! SÓLO COMPARABA DÓNDE NOS HABÍAMOS QUEDADO... LOS ANTIGUOS ENEMIGOS DE SUPERMAN DE PRONTO SÓLO QUERÍAN VENGARSE, Y ÉL OS HABÍA LLEVADO TODOS A LA FORTALEZA PARA ESTAR MÁS SEGUROS.

EXACTO. A MÍ, A LANA, A JIMMY; A PERRY Y ALICE WHITE... A TODOS SUS AMIGOS. ESTÁBAMOS TODOS...

EH, ¿ES CAFÉ LO QUE HUELE POR AQUÍ?

¡JA, JA! ¡EL MEJOR OLFATO PARA EL CAFÉ DE TODO PITTSDALE! TENDRÁS QUE PREPARÁRTELO TÚ MISMO, CARIÑO. ESTOY OCUPADA SIENDO UNA CELEBRIDAD.

TIM, ÉSTE ES MI MARIDO, JORDAN.

JORDY, ÉSTE ES TIM CRANE, DEL PLANET.

OH, HOLA.

UH... ESPERO QUE NO LE IMPORTE QUE ENTREVISTE A SU MUJER SOBRE, BUENO, SOBRE...

¿SOBRE SU EX? ¡BAH! TAMPOCO ERA TAN ESPECIAL. LOS CURRANTES NORMALES, HIJO... NOSOTROS SOMOS LOS AUTÉNTICOS HÉROES.

VAMOS, JORDY, ¡NO EMPIECES YA CON ESO! ¡PREPÁRATE UN CAFÉ Y LUEGO VE A VER SI JONATHAN SIGUE DORMIDO!

¿DÓNDE ESTÁBAMOS, TIM?

UH... ESTABAN EN EL ÁRTICO, CON SUPERMAN...

"EXACTO... ESTÁBAMOS EN UN BALCÓN, VIENDO CÓMO DESTRUÍA LA LLAVE DORADA. FUE ENTONCES CUANDO NOS EMPEZAMOS A DAR CUENTA DE QUE SE PREPARABA PARA UN ASEDIO."
"EL ASEDIO DE LA FORTALEZA DE LA SOLEDAD..."
"LA ÚLTIMA BATALLA DE SUPERMAN."

"PERRY Y *ALICE* SE PASARON TODO AQUEL DÍA DISCUTIENDO. *TODOS* ESTÁBAMOS TENSOS."

"ESTÁBAMOS ASUSTADOS. SABÍAMOS QUE ALGO SE CERNÍA SOBRE NOSOTROS, PERO NO SABÍAMOS QUÉ..."

"... Y, DE HABERLO SABIDO, NO NOS HABRÍAMOS SENTIDO MEJOR."

EVALUACIÓN: EL *KRYPTONIANO* SE HA REFUGIADO. DEBO CONSIDERAR NUESTRO PRÓXIMO MOVIMIENTO.

¿QUÉ HAY QUE CONSIDERAR? ¡QUIERO AGARRAR SU GARGANTA CON MIS MANOS! ¡QUIERO VER CÓMO SE PONE VERDE Y MUERE!

HARÁS LO QUE YO TE MANDE, HOMBRE KRYPTONITA. CON LA MENTE DE LUTHOR A MI DISPOSICIÓN, MI INTELECTO ES SUPREMO. PREPARARÉ UN PLAN QUE CUBRA CUALQUIER POSIBLE EVENTUALIDAD.

¿C-CUALQUIER EVENTUALIDAD, BRAINIAC?

¿IN- CLUIDA ÉSA?

NO DISPARES, LUTHOR. VENIMOS COMO ALIADOS PARA UNIRNOS A TI EN EL INEVITABLE Y PREDESTINADO ASESINATO DE SUPERMAN...

¿HAS OLVIDADO EL FUTURO, LUTHOR? ¿NO RECUERDAS A LA LEGIÓN DE SUPERVILLANOS?

MEKT, ESPE- RA...

ALERTA: PROBABILIDAD DE ATAQUE: 74,012%...

101

E-ESTOY ANALIZANDO LA MENTE DE LUTHOR... ESTÁ DOMINADA POR ALGO FRÍO, SIN EMOCIONES...

EN SU CABEZA... ¿ES UNA ESPECIE DE CASCO, O...?

LEX LUTHOR ES SÓLO EL RECEPTÁCULO DE BRAINIAC.

PREGUNTA: ¿QUÉ TIPO DE SERES SOIS?

S-SOMOS SATURN WOMAN, LIGHTNING LORD Y COSMIC KING, DEL SIGLO XXX...

SEGÚN LAS LEYENDAS, EN ESTE TIEMPO SUPERMAN SE ENFRENTÓ A SU MAYOR ENEMIGO EN COMBATE Y FUE DERROTADO DEFINITIVAMENTE.

ANTE UNA VICTORIA SEGURA, HEMOS VENIDO A UNIRNOS.

¿SU MAYOR ENEMIGO? POR SUPUESTO. YO REDUJE KANDOR. SIEMPRE FUI SU MAYOR ENEMIGO.

PREGUNTA: ¿POR QUÉ OS IBA A PERMITIR COMPARTIR MI VICTORIA?

PORQUE VENIMOS DEL FUTURO. SABEMOS COSAS.

POR EJEMPLO, SE DICE QUE DURANTE LOS ÚLTIMOS DÍAS DE SUPERMAN, TODOS LOS CAMPEONES DE LA TIERRA ACUDIRÍAN A AYUDARLE...

ES LÓGICO. SEGURO QUE LOS OTROS SUPERHOMBRES DE ESTE MUNDO INTERVENDRÁN.

PERO ERIGIRÉ UN CAMPO DE FUERZA IMPENETRABLE DE INMEDIATO.

POR RESISTIRSE A MI VOLUNTAD, POR DESTRUIR MI CUERPO, POR TODAS ESAS AFRENTAS, EL KRYPTONIANO CONOCERÁ LA VENGANZA DE BRAINIAC...

... Y NADIE LE AYUDARÁ.

"CUANDO LOS SENSORES DE LA FORTALEZA DETECTARON EL CAMPO DE FUERZA DE BRAINIAC, SUPIMOS QUE HABÍA COMENZADO."

"EL MURO ADOPTÓ LA FORMA DE UNA BURBUJA GIGANTE, DE MÁS DE TRES KILÓMETROS DE DIÁMETRO. NADA PODÍA ENTRAR. NI SALIR."

"AL MEDIODÍA, LOS VILLANOS COMENZARON A DISPARAR CONTRA LA FORTALEZA, USANDO LAS ARMAS DE LA NAVE DE BRAINIAC."

"SUPERMAN DESTRUYÓ LA MAYORÍA DE APARATOS DESDE LARGA DISTANCIA, USANDO SU VISIÓN CALÓRICA, PERO EL GENERADOR DEL CAMPO DE FUERZA ESTABA MUY BIEN PROTEGIDO."

"POR LA TARDE, COGIÓ A KRYPTO E INTENTÓ UN ATAQUE FRONTAL, PERO FUERON RECHAZADOS POR EL HOMBRE KRYPTONITA."

"SUS PODERES PARECÍAN HABERSE MULTIPLICADO POR DIEZ. NI SIQUIERA PUDIERON ACERCARSE."

"CON EL CREPÚSCULO COMENZARON A LLEGAR HÉROES AL EXTERIOR DEL MURO. LOS QUE ERAN SUS AMIGOS..."

"LOS QUE ERAN CASI SUS RIVALES..."

"... LOS QUE PODRÍAN HABER SIDO SUS AMANTES. NO IMPORTABA. NADIE PODÍA ROMPERLO."

"AL CAER LA NOCHE, PARECÍA QUE SE HABÍA LLEGADO A UNAS TABLAS, Y LA BATALLA PERDIÓ FUELLE. TODOS SABÍAMOS QUE NO DURARÍA MUCHO."

"NOS IMAGINAMOS QUE AL MENOS TENDRÍAMOS HASTA LA MAÑANA, ASÍ QUE DECIDIMOS DORMIR UN POCO..."

"... POR LO MENOS ALGUNOS."

¿PERRY? ¿ESTÁS DESPIERTO?

ME PREGUNTABA SI PODRÍAMOS CHARLAR UN POCO.

PUES CLARO. ENTRA.

TAMPOCO ME IRÁ MAL UNA BUENA CONVERSACIÓN. SIEMPRE ES MEJOR QUE ESTAR SENTADO AQUÍ PENSANDO EN LA MUERTE Y EL DIVORCIO.

LO SIENTO. SUPONGO QUE ESTAR ENCERRADOS AQUÍ DEBE SER BASTANTE MOLESTO PARA TI Y PARA ALICE.

SÍ, SUPONGO. NO SÉ... AMBOS TENEMOS BUENOS MOTIVOS PARA ESTAR DISCUTIENDO TODO EL DÍA, PERO...

BUENO, EL ESTAR SENTADO AQUÍ CON LA MUERTE AGUARDANDO AHÍ FUERA ME HACE VER LAS COSAS DESDE UNA PERSPECTIVA DIFERENTE...

Y A MÍ TAMBIÉN.

¿A TI?

SÍ, A MÍ. PERRY, ESTOY ASUSTADO. CREO QUE VOY A MORIR, Y TENGO TANTAS COSAS QUE ARREGLAR EN MI VIDA...

... COMO LOIS Y YO. LANA Y YO.

BUENO, LES HE ECHADO A PERDER LA VIDA A LAS DOS, ¿NO?

HAN DESPERDICIADO SU AMOR CONMIGO, MIENTRAS QUE YO NO HE CONSEGUIDO AMAR A NINGUNA DE LAS DOS TAL COMO SE MERECÍAN.

ME GUSTARÍA HABERME EXPLICADO.

ME GUSTARÍA NO HABER SIDO TAN COBARDE.

"¿POR QUÉ LAS PERSONAS MÁS NOBLES SON SIEMPRE LAS QUE TIENEN MÁS PROBLEMAS DE CONCIENCIA? NO LO SÉ..."

"... PERO SUPERMAN Y PERRY NO ERAN LOS ÚNICOS QUE NO PODÍAN DORMIR AQUELLA NOCHE."

¿LANA? ¿QUÉ HACES AQUÍ?

BUENO, SI ESE FRASCO QUE LLEVAS EN LA MANO ES LO QUE CREO QUE ES, HAGO LO MISMO QUE TÚ. ESTOY HARTA DE ESTAR SENTADA. QUIERO AYUDARLE.

ESO ES EL SUERO DEL CHICO ELÁSTICO, ¿VERDAD?

SÍ. SABÍA QUE GUARDABA UNA MUESTRA EN EL ANEXO DE LA SALA DE TROFEOS, ASÍ QUE HE VENIDO A BUSCARLO.

TODOS ESTOS AÑOS ME HAN LLAMADO "AMIGO DE SUPERMAN". CREO QUE HA LLEGADO EL MOMENTO DE PAGAR POR ESE PRIVILEGIO.

¿Y TÚ?

SUERO DEL CHICO ELÁSTICO

HE TENIDO LA MISMA IDEA. RECUERDO QUE HACE AÑOS, HUBO OCASIONES EN QUE OBTUVIMOS SUPERPODERES TEMPORALMENTE. RECUERDO QUE HABÍA UN LAGO EN EL QUE NOS BAÑÁBAMOS LOIS Y YO...

ELASTIC LAD

LAGO DE AGUA "MÁGICA" PROBABLEMENTE FUENTE DE RADIACIÓN NO IDENTIFICADA

¡EH... MIRA! ¡HAY UNA VITRINA CON TRAJES DE RECUERDO!

¡QUÉ SUERTE!

RED, DATE LA VUELTA MIENTRAS ME DOY UN CHAPUZÓN.

OH.

OH, QUÉ SENSACIÓN... AHORA LO RECUERDO.. MI PIEL SE PONE DE GALLINA MIENTRAS SE VA ENDURECIENDO... MIS SENTIDOS SE EXPANDEN... VISIÓN DE RAYOS-X... VISIÓN MICROSCÓPICA...

"SUPEROÍDO..."

VERÁS, CUANDO ERA SUPERBOY, LANA ERA LA ÚNICA CHICA A LA QUE AMABA.

PARA MÍ SIGUE REPRESENTANDO SMALLVILLE, ESA PARTE DE MI VIDA, Y POR ESO NUNCA PUDE APARTARLA DE MÍ.

... PERO DESDE QUE CRECÍ Y ME CONVERTÍ EN UN HOMBRE, SÓLO HA EXISTIDO UNA MU-JER PARA MÍ.

LOIS. LA HERMOSA LOIS.

LA AMO, PERRY. SANTO DIOS, LA AMO TANTO...

"... PERO NO PUEDO DECÍRSELO SIN HACERLE DAÑO A LANA. JAMÁS LE HARÍA DAÑO, ASÍ QUE DEBO SEGUIR CON ESTE SECRETO, CON ESTE PESO EN EL CORAZÓN..."

"... QUE TENDRÉ QUE LLEVARME A LA TUMBA..."

"... SIN QUE NINGUNA DE LAS DOS LO SEPA."

LISTOS. ¿ESTÁS PREPARADA, LANA?

¿LANA? ¿ALGO VA MAL?

¿MAL? NO. NO, ¿POR QUÉ DEBERÍA IR ALGO MAL?

ESTOY LISTA. SALGAMOS DE AQUÍ, DESTRUYAMOS ESE CAMPO DE FUERZA Y LIBRÉMOSLE DE TODO ESTO. SÓLO SOMOS SEGUNDONES, JIMMY, PERO LES ENSE ÑAREMOS...

QUE NADIE LE QUIERE MÁS QUE NOSOTROS.

¡NADIE!

"ASUMIENDO QUE LA PRESENCIA DEL HOMBRE DE KRYPTONITA MANTENDRÍA A SUPERMAN A DISTANCIA, LO QUE OCURRIÓ A CONTINUACIÓN COGIÓ POR SORPRESA AL MISMO BRAINIAC..."

SLIZZZSSSSSS

¡AAUH! ¡NOS ATACA! ¡VOY A...!

¿VAS A QUÉ, PEQUEÑO PATÁN VENENOSO?

¿QUÉ VAS A HACERLE A ALGUIEN A QUIEN NO LE IMPORTA UN CARAJO LA KRYPTONITA?

¡BRAINIAC! ¡AYÚDAME!

NADIE VA A AYUDARTE. ¡NADIE VA A AYUDAROS A NINGUNO!

ELIMINA EL GENERADOR, JIMMY, MIENTRAS YO ME ENCARGO DE SU LÍDER.

UNGHN

MUJER ESTÚPIDA. MI VICTORIA ESTÁ PREDETERMINADA. ESTO SÓLO SERVIRÁ PARA PRECIPITAR TU DESTRUCCIÓN.

¿LUTHOR? ¿POR QUÉ HABLAS ASÍ? Y... ¿QUÉ ES ESO QUE LLEVAS SOBRE LA CABEZA...

LUH... LAA-NAA... BRUH... BRAINIAC... MMUH MEEEH... ME TIENE.

MUUH MÁTAMEEE... LANA... POR FAVOR...

MÁTAME.

LUTHOR SILENCIO. TE LO ORDENO.

¿LEX?

LUH... LANA... HAZLO AHORA... PUH... POR FAVOR... HAZLO AHORA...

CHRAK

107

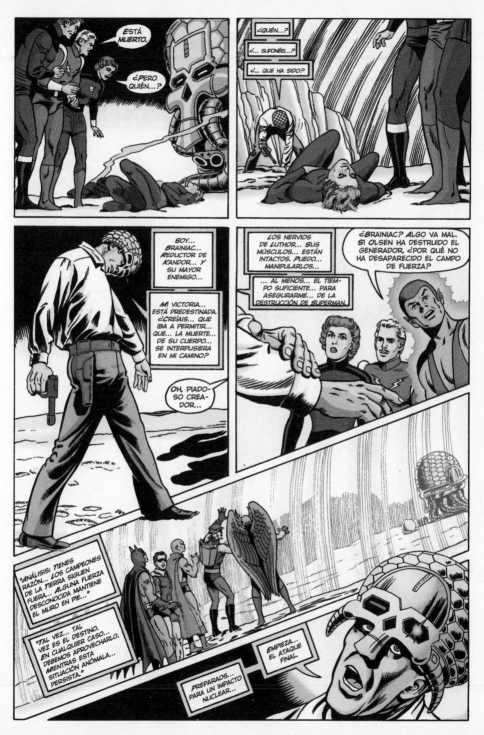

ESTÁ MUERTO.

¿PERO QUIÉN...?

¿QUIÉN...?

¿... SUPONÉIS...?

¿... QUE HA SIDO?

SOY... BRAINIAC... REDUCTOR DE KANDOR... Y SU MAYOR ENEMIGO...

MI VICTORIA... ESTÁ PREDESTINADA. ¿CREÍAIS... QUE IBA A PERMITIR... QUE... LA MUERTE... DE SU CUERPO... SE INTERPUSIERA EN MI CAMINO?

OH, PIADO-SO CREA-DOR...

LOS NERVIOS DE LUTHOR... SUS MÚSCULOS... ESTÁN INTACTOS. PUEDO... MANIPULARLOS...

... AL MENOS... EL TIEM-PO SUFICIENTE... PARA ASEGURARME... DE LA DESTRUCCIÓN DE SUPERMAN.

¿BRAINIAC? ALGO VA MAL. SI OLSEN HA DESTRUIDO EL GENERADOR, ¿POR QUÉ NO HA DESAPARECIDO EL CAMPO DE FUERZA?

"ANÁLISIS: TIENES RAZÓN... LOS CAMPEONES DE LA TIERRA SIGUEN FUERA... ALGUNA FUERZA DESCONOCIDA MANTIENE EL MURO EN PIE..."

"TAL VEZ... TAL VEZ ES EL DESTINO. EN CUALQUIER CASO... DEBEMOS APROVECHARLO. MIENTRAS ESTA SITUACIÓN ANÓMALA... PERSISTA."

PREPARAOS... PARA UN IMPACTO NUCLEAR...

EMPIEZA... EL ATAQUE FINAL.

"POR INCREÍBLE QUE PAREZCA, LA EXPLOSIÓN NO ACABÓ CON TODA LA FORTALEZA. SÓLO CAUSÓ UN ENORME BOQUETE EN UN COSTADO..."

"PERO FUE SUFICIENTE. HABÍAN ENTRADO."

"LOS DORMITORIOS ESTABAN PROTEGIDOS POR METROS DE ROCA SÓLIDA. PERO LA ONDA EXPANSIVA FUE COMO EL PEOR TERREMOTO QUE TE PUEDAS IMAGINAR..."

¡ALICE! ¡CUIDADO!

KRRUTTUNCH

¡OH! ¡OOOHH!

¿P-PERRY? TÚ... YO...

ALICE, NO IMPORTA. ESTÁN DESTRUYENDO LA FORTALEZA Y NO TENEMOS MUCHO TIEMPO.

SÓLO QUERÍA DECIRTE QUE LO SIENTO, Y QUE SIEMPRE TE HE AMADO.

PERRY, ME...

¿M-ME PODRÍAS LLEVAR A MI HABITACIÓN? TAL VEZ... TAL VEZ TENGAMOS TIEMPO PARA ARREGLAR NUESTRAS ESTUPIDECES.

"TIEMPO: PARA PROTEGER LA FORTALEZA, PARA PLANEAR LA DEFENSA... TIEMPO ERA LO ÚNICO QUE NECESITÁBAMOS..."

113

"... Y SÓLO QUEDABA UN ENEMIGO AL QUE HACER FRENTE."

"O TAL VEZ DOS."

ANÁLISIS: ENDURECIMIENTO... DE MIEMBROS... DIFICULTAD... EN EL MOVIMIENTO. EVALUACIÓN: INMINENTE... INICIO... DEL RIGOR MORTIS... EN EL CUERPO HUÉSPED...

¡OH, DIOS, MÍRALO!

PERO... LOS VILLANOS DEL FUTURO... DIJERON QUE TE ENFRENTARÍAS... A TU MAYOR ENEMIGO EN COMBATE... Y SERÍAS DESTRUIDO DEFINITIVAMENTE. YO, BRAINIAC. TU MAYOR ENEMIGO...

ESTOY PREDESTINADO... A DESTRUIRTE.

¡LOIS, ATRÁS! ¡SE DESPLOMA!

¡NO! ¡LEVANTA...! LEVANTA... ¡LUTHOR. NO... SERÉ TRAICIONADO... POR TU DEBILIDAD... HUMANA...

¿DÓNDE... ESTÁ MI HOMBRE DE KRYPTONITA? ¿POR QUÉ... SIGUE EN PIE... MI CAMPO DE FUERZA? NO LO SÉ... NI ME IMPORTA...

VOY... A POR TI... KRYPTONIANO... MI VICTORIA... ES INEVITABLE...

¿SUPERMAN? SE HA DESPREN-DIDO DE ÉL...

CLINK RINK PLITTINK

TRANQUILA, LOIS. NO... NO CREO QUE ESTÉ EN CONDICIONES DE CAUSARNOS DAÑO.

SHRING CHLINK KINGLE TUNG

"LA ACUMULACIÓN DE PLACAS Y CIRCUITOS EN PLENA DESINTEGRACIÓN SE ARRASTRÓ UNOS POCOS CENTÍMETROS, IMPULSADA POR SU MALICIA, Y LUEGO SE DETUVO."

"BRAINIAC HABÍA MUERTO."

"TODO HABÍA ACABADO..."

"... PERO AQUELLO NO ERA POSIBLE."

LOIS... NO ME GUSTA ESTO. HAY DEMASIADOS CABOS SUELTOS.

¿POR QUÉ IBAN A ATACARME A LA VEZ TODOS MIS ENEMIGOS? ¿POR QUÉ SIGUE EN PIE EL CAMPO DE FUERZA DE BRAINIAC QUE IMPIDE ENTRAR A MIS NUESTROS AMIGOS?

... Y LUEGO ESTÁ ESTA ESTATUILLA. LA LEGIÓN VINO A VISITARME ANOCHE Y ME LA ENTREGÓ, CASI COMO SI FUERA MI PROPIA LÁPIDA DE REGALO.

TODO EL SIGLO XXX PARECE CONVENCIDO DE QUE ESTOY ACABADO.

"SE HIZO EL SILENCIO MIEN- TRAS ESTUDIABA LA ESTATUILLA, UNA FIGURA DORADA DE SUPERMAN QUE SOSTENÍA ALGO FAMILIAR..."

"TODO ESTABA EN CALMA. EL FRÍO VIENTO ÁRTICO QUEDABA FUERA DEL CAMPO DE FUERZA."

"SE QUEDÓ ASÍ DURANTE CUATRO O CINCO MINUTOS, EN SILENCIO Y CON EL CEÑO FRUNCIDO, TRATANDO DE DEDUCIR ALGO."

"CUANDO HABLÓ, AUNQUE LO HIZO CON VOZ QUEDA, ME DIO UN SOBRESALTO."

POR SUPUESTO.

VWOOM

¡PUAAJ!

BIZARRO, EL BROMISTA, EL JUGUETERO, METALLO, BRAINIAC, EL HOMBRE KRYPTONITA, LA LEGIÓN DE SUPERVILLANOS... SÓLO FALTA UN NOMBRE, ¿VERDAD?

¡SÉ QUE ESTÁS AHÍ, MXYZPTLK!

¡MUÉSTRATE DE UNA VEZ!

115

"CUANDO POR FIN SE DESPEJÓ EL HUMO, ESTABA SENTADO ALLÍ EN EL AIRE. PARECÍA DIFERENTE. YA NO PARECÍA GRACIOSO."

POR FIN LO HAS ADIVINADO.

SALUDOS, SUPERMAN, DESDE LA QUINTA DIMENSIÓN.

ERAS TÚ QUIEN LES GUIABA A TODOS DESDE LAS SOMBRAS... TODA ESA MUERTE Y DESTRUCCIÓN...

MXYZPTLK, EN EL NOMBRE DE RAO... ¿POR QUÉ?

NO SEAS INGENUO, SUPERMAN. SOY INMORTAL, COMO TODOS LOS QUE VIVIMOS EN LA QUINTA DIMENSIÓN.

EL GRAN PROBLEMA DE SER INMORTAL ES OCUPAR TU TIEMPO. POR EJEMPLO, ME PASÉ LOS DOS MIL PRIMEROS AÑOS DE MI EXISTENCIA SIN HACER ABSOLUTAMENTE NADA.

NO ME MOVÍ... NI SIQUIERA RESPIRÉ.

AL FINAL, LA SIMPLE INERCIA SE VOLVIÓ ABURRIDA, ASÍ QUE ME PASÉ LOS SIGUIENTES DOS MIL AÑOS SIENDO SANTURRÓN Y BENÉVOLO, HACIENDO SÓLO COSAS BUENAS.

CUANDO LA NOVEDAD EMPEZÓ A PERDER LA GRACIA, DECIDÍ SER TRAVIESO.

AHORA, DOS MIL AÑOS DESPUÉS, VUELVO A ESTAR ABURRIDO. NECESITO UN CAMBIO. ¡Y, COMENZANDO CON TU MUERTE, ME PASARÉ LOS PRÓXIMOS DOS MILENIOS HACIENDO EL MAL!

Y DESPUÉS, ¿QUIÉN SABE? TAL VEZ INTENTE SENTIRME CULPABLE DURANTE UN TIEMPO.

¿DE VERDAD CREÍAS QUE UN HECHICERO DE LA QUINTA DIMENSIÓN TENDRÍA EL ASPECTO DE UN HOMBRECILLO CON BOMBÍN? ¿QUIERES VER CUÁL ES MI VERDADERO ASPECTO?

SUPERMAN... ¡ESTÁ CAMBIANDO!

SERÁ MEJOR QUE ENTREMOS...

"NO PUEDO DESCRIBIR EN QUÉ SE CONVIRTIÓ MXYZPTLK. TENÍA PROFUNDIDAD, ALTURA, ANCHURA... Y OTRAS COSAS MÁS."

"AL ENTRAR EN LA FORTALEZA MIRÉ ATRÁS UN INSTANTE. NOS SEGUÍA. Y SÓLO DE VERLE ME DOLIÓ LA CABEZA."

¿POR QUÉ LUCHAS? SABES QUE NO HAY ESCAPATORIA. HOY TE ENFRENTARÁS A TU MAYOR ENEMIGO Y SERÁS DERROTADO DEFINITIVAMENTE.

¡TODO EL SIGLO XXX LO SABE!

"NO DEBÍA HABER MENCIONADO EN EL SIGLO XXX. ÉSE FUE SU PRIMER ERROR."

"AL RECORDARLO, MIRÉ LA ESTATUILLA QUE TENÍA EN LAS MANOS..."

LOIS, ES UN SER MÁGICO. NO PUEDO VENCERLE. ¡AUYE! LE DETENDRÉ EL MÁXIMO TIEMPO POSIBLE...

¡NO! ¡ESPERA! ESTA ESTATUILLA... ¿POR QUÉ TE LA DIERON?

COMO TRIBUTO... AUNQUE DEBIERON DE SABER CUÁNTO ME PERTURBARÍA...

¡EXACTO! ¡ASÍ QUE TAL VEZ TE LA DIERON POR OTRO MOTIVO...! ¿UNA PISTA, TAL VEZ?

¡MÍRALA OTRA VEZ, SUPERMAN!

¡MIRA LO QUE SOSTIENE!

SU HORA SUPREM

"MIRÓ A LA ESTATUILLA DORADA. AL APARATO DORADO QUE TENÍA EN LAS MANOS. ENTRECERRÓ LIGERAMENTE LOS OJOS. Y SE DIO CUENTA."

"SUPO LO QUE HABÍA QUE HACER."

¡POR AQUÍ! SI LLEGAMOS A LA CÁMARA A TIEMPO...

WHUURP

"AL LLEGAR, LA CÁMARA ERA TAN EXTRAÑA Y DESAGRADABLE COMO RECORDABA. DESDE UNA PANTALLA EN UN EXTREMO, HOMBRES PÁLIDOS CON OJOS ASESINOS NOS LANZABAN OBSCENIDADES."

"EL TIEMPO SE AGOTABA..."

"... Y, DE PRONTO, SE DESVANECIÓ."

AHH, AHÍ ESTÁS.

CREO QUE ES HORA DE MORIR.

EXACTO, MXYZPTLK. DE...

... MORIR.

"SE GIRÓ CON EL OJO CICLÓPEO DEL PROYECTOR DE LA ZONA FANTASMA ENTRE SUS MANOS, CON EL DEDO SOBRE SU BOTÓN NEGRO. MXYZPTLK NO TENÍA ESCAPATORIA..."

"/... O CASI/"

¡KLTPZYXM!

"PRONUNCIANDO SU NOMBRE A LA INVERSA, LA MAGIA DE LA CRIATURA LE DEVOLVIÓ A LA QUINTA DIMENSIÓN..."

"... A LA VEZ QUE EL RAYO LE ENVIABA A LA ZONA FANTASMA."

ESE GRITO TAN HORRIBLE... ¿LE HAS...?

... PARTIDO EN DOS. EN DOS DIMENSIONES DIFERENTES. HA SENTIDO PÁNICO AL VER EL RAYO, Y HA COMETIDO UN ERROR FATAL. COMO SABÍA QUE HARÍA.

¡LE HE MATADO, LOIS! ¡Y QUERÍA MATARLE!

NO PODÍA PERMITIR QUE ALGO TAN MALIGNO Y PODEROSO SOBREVIVIERA. ASÍ QUE ME HE DECIDIDO, Y LO HE HECHO.

HE ROTO MI JURAMENTO. LE HE MATADO.

¡P-PERO TENÍAS QUE HACERLO! ¡NO HAS HECHO NADA MALO...

SÍ, LO HE HECHO.

NADIE TIENE DERECHO A MATAR M MXYZPTLK, NI TÚ NI SUPERMAN...

¡ESPECIALMENTE SUPERMAN!

"DIO MEDIA VUELTA Y SE ALEJÓ EN SILENCIO. CORRÍ TRAS ÉL, LLAMÁNDOLE..."

"NO RESPONDIÓ."

"Y PARA CUANDO DESCUBRÍ ADÓNDE IBA, ERA DEMASIADO TARDE."

KRIPTONITA DORADA
CÁMARA DE ALMACENAMIENTO
¡NO ENTRAR!

"MIENTRAS ENTRABA EN AQUELLA CEGADORA LUZ DORADA, SE GIRÓ Y MIRÓ POR ENCIMA DEL HOMBRO. ME SONRIÓ..."

"NUNCA VOLVÍ A VER A SUPERMAN."

"CON MXYZPTLK DESTRUIDO, EL CAMPO DE FUERZA QUE HABÍA MANTENIDO CON SU MAGIA DESAPARECIÓ, Y LOS HÉROES LOGRARON ENTRAR."

"PROBABLEMENTE HABRÁS LEÍDO LO QUE ENCONTRARON..."

"EL CAOS EN EL INTERIOR Y LOS ALREDEDORES DE LA FORTALEZA ESTABA SEMBRADO DE CADÁVERES. LOS DE SUS PEORES ENEMIGOS..."

"... Y LOS DE SUS MÁS FIELES AMIGOS. RECUERDO QUE BATMAN LO DESCRIBIÓ COMO "CAMINAR ENTRE LOS FRAGMENTOS DE UNA LEYENDA"."

"HABÍA MUERTE Y DESTRUCCIÓN POR DOQUIER..."

"... O CASI."

"CASI POR DOQUIER."

"ME ENCONTRARON A LA PUERTA DE LA CÁMARA DE LA KRYPTONITA DORADA, LLORANDO. CUANDO SUPERWOMAN Y EL CAPITÁN MARVEL ABRIERON LA CÁMARA POR LA FUERZA, ESTABA VACÍA."

"HABÍA DESAPARECIDO."

DESCUBRIERON UN PASAJE SECRETO QUE SALÍA DE LA FORTALEZA, Y DEDUJERON QUE HABÍA SALIDO SIN SUS PODERES AL EXTERIOR GÉLIDO, SÓLO PARA MORIR DE FRÍO.

NO ENCONTRARON SU CUERPO.

¿MÁS CAFÉ, TIM?

SUPERMAN

Mundos diferentes
Guión y dibujos • John Byrne
Traducción y rotulación • Estudio Fénix

SUPERMAN Y WONDER WOMAN
CREADO POR
JERRY SIEGEL Y JOE SHUSTER

CREADA POR
CHARLES MOULTON

MUNDOS DIFERENTES

PRIMERA PARTE:
PRIMER ENCUENTRO

JOHN BYRNE
GUIÓN Y DIBUJOS

GEORGE PÉREZ TINTA   TOM ZIUKO COLOR

... UH...

P-PERDONA...

... CREO QUE ME HE PASADO...

2

EN CIERTO MODO... YO... NO ESPERABA UNA RECEPCIÓN TAN CALUROSA, SUPERMAN.

PARECE QUE NO. PERDONA OTRA VEZ, WONDER WOMAN. CREO QUE NO TENGO MUCHO TACTO PARA ESTA CLASE DE COSAS...

"¿ESTA CLASE DE COSAS...?"

UH...

BUENO... ESO PRUEBA LO QUE HE DICHO. NO ME SALE DE LA CABEZA DESDE QUE NOS VIMOS POR VEZ PRIMERA EN WASHINGTON.

CREO... CREO QUE ME EQUIVOQUÉ AL PENSAR QUE TAMBIÉN ESTABAS... BUENO...

... QUE TAMBIÉN ESTABAS INTERESADA EN MÍ.

PERDONA.

YA ES LA TERCERA VEZ QUE PIDES PERDÓN, SUPERMAN. CON UNA VEZ BASTABA.

PERO CONFIESO QUE NO HAS ESTADO TOTALMENTE AUSENTE DE MIS PENSAMIENTOS EN LOS ÚLTIMOS MESES.

DE HECHO, UNA AMIGA MÍA DE BOSTON NOTÓ MI EXTRAÑO SILENCIO SIEMPRE QUE HABLABAN ACERCA DE TI...

ENTONCES...

¿ENTONCES HAY ALGUNA HIPÓTESIS RESPECTO A QUE MIS SENTIMIENTOS...?

¿... SEAN CORRESPONDIDOS DE ALGÚN MODO?

3

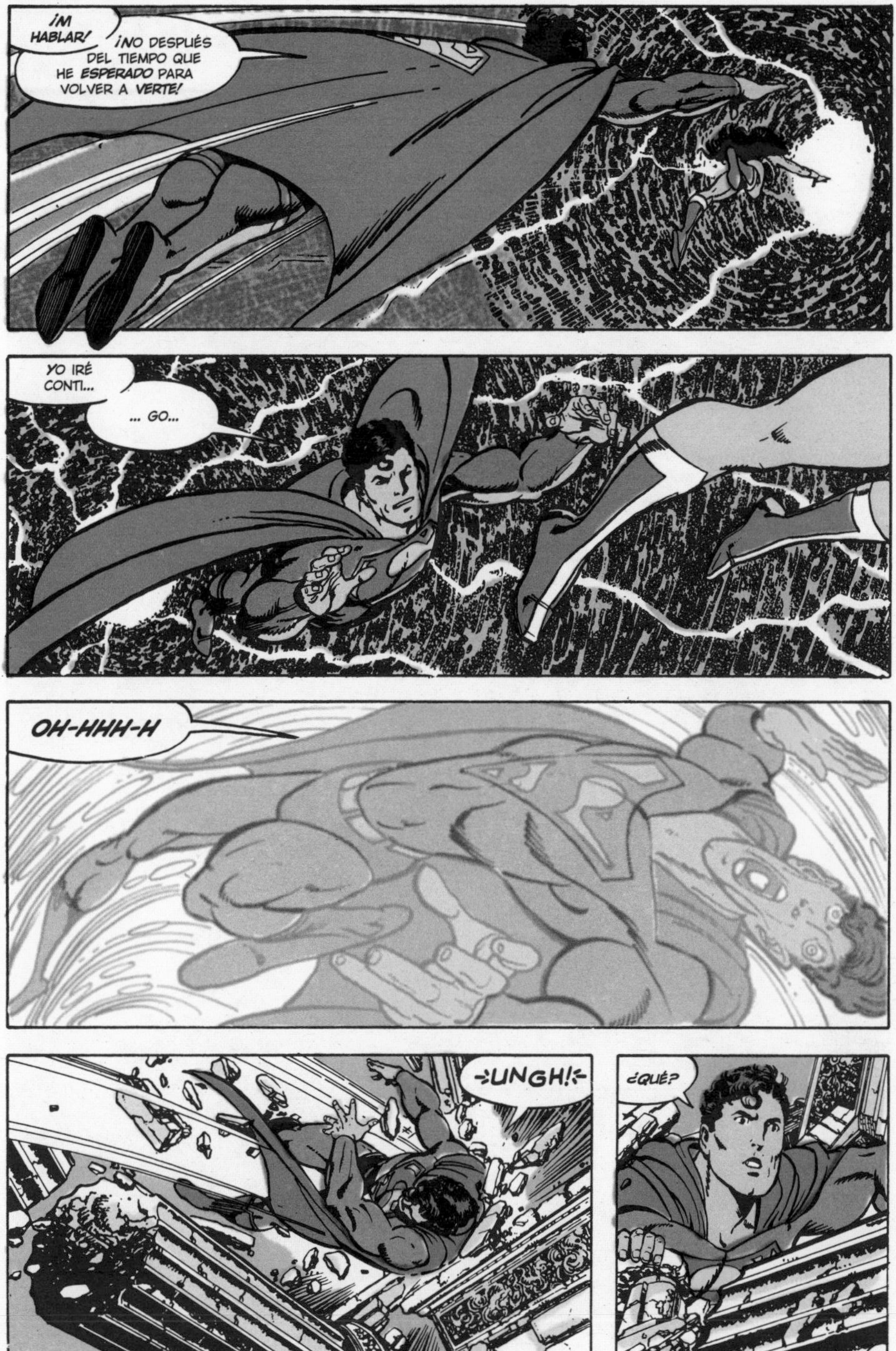
¡M HABLAR!
¡NO DESPUÉS DEL TIEMPO QUE HE ESPERADO PARA VOLVER A VERTE!
YO IRÉ CONTI...
... GO...
OH-HHH-H
-UNGH!-
¿QUÉ?
7

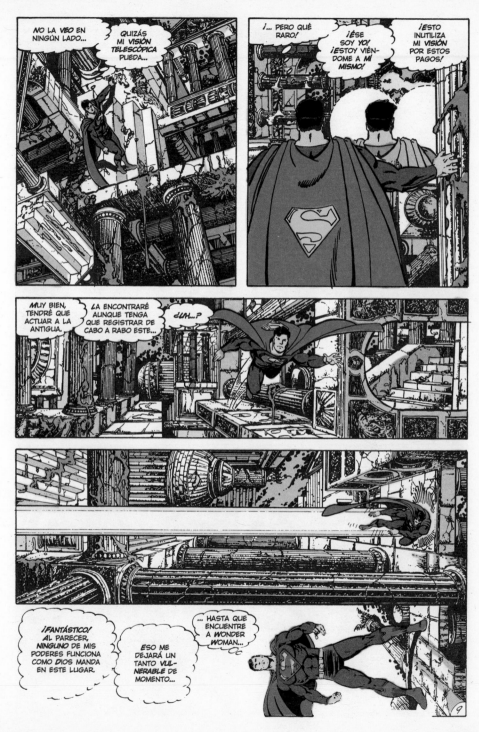

TERCERA PARTE: ESPEJOS PARTIDOS

HAHAHA HAHA HA
HA HAH HAHA HA
HAHAH HA HA HA
HA

¿NO ES DELICIOSA LA IRONÍA DE ESTA SITUACIÓN, *DESAAD*?

¿EL MODO EN QUE MIS *SIERVOS* MANIPULAN LAS *DEBILIDADES* DE NUESTROS *INVITADOS*?

SÍ, GRAN DARKSEID...

PERO... ¿NO SERÁ *PELIGROSO*, MI SEÑOR?

HASTA AHORA, NUESTRA... TU *CONQUISTA* DEL OLIMPO SE HA DESARROLLA-DO *SIN PERCANCE ALGUNO*.

¿NO DEBERÍAMOS *DESTRUIR* A ESTOS *INTRUSOS* EN VEZ DE *JUGAR* CON ELLOS?

EXTRAÑOS SENTIMIENTOS LOS TUYOS, DESAAD.

PRECISAMENTE TÚ, CUYA *EXISTEN-CIA* ESTÁ DEDICADA TAN SÓLO A LA *CRUELDAD* Y AL *SUFRIMIENTO*.

PERO NO TEMAS, DESAAD. ESPERÉ *MUCHO TIEMPO* PARA DEJAR QUE ESTA *PEQUEÑA DIVERSIÓN* ARRUINE MI GRAN-DIOSO PLAN.

ESPERÉ TODOS ESTOS *SIGLOS* DESDE QUE *DES-CUBRÍ* LA VERDAD SOBRE EL OLIMPO.

"¿TE ACUERDAS, DESAAD?"

"¿TE ACUERDAS DE LA LEYENDA DE CÓMO EL MUNDO DE LOS *PRIMEROS DIOSES*, LOS DIOSES *ANTI-GUOS*, DEJÓ DE EXISTIR?"

"*DIVIDIDO* POR LA *FURIA* DE SU *CONTIENDA FINAL*..."

15

"DE ESE CATACLISMO NACIERON DOS MUNDOS..."

"NUEVA GÉNESIS, HERMOSA Y REPLETA DE LUZ, MORADA DE TODO LO MÁS BONDADO- SO Y PURO QUE HABÍA EN NUESTROS ANTEPASADOS..."

"Y APOKOLIPS, OSCURA Y TORTUOSA, CUNA DE TODO EL MAL..."

"... NUESTRA MORADA."

"¡PERO LOS NUEVOS DIOSES NUNCA SOSPECHARON QUE LA DESTRUCCIÓN DE NUESTRO MUNDO ANTIGUO HABÍA PROYECTADO TORRENTES DE ENERGÍA INIMAGINA- BLE EN TODAS LAS DIRECCIONES!"

"ENERGÍA QUE RECORRIÓ TODO EL UNIVERSO..."

"HASTA ALCANZAR FINALMENTE UN PLANETA..."

"UN MUNDO QUE MÁS TARDE PASARÍA A LLA- MARSE TIERRA..."

"EN UN PEQUEÑO ARCHI- PIÉLAGO DE ISLAS, ALGU- NAS DE ELLAS CONOCI- DAS COMO GRECIA..."

16

142

PERO... SI ESTÁS AQUÍ... ¡¡ENTONCES DARKSEID DEBE ESTAR DETRÁS DE TODO ESTO!!

TAN ASTUTO COMO SIEMPRE, MI AMOR.

¡AHORA CÓGEME SI PUEDES!

¡NO ERES SUPERMAN! ¡M ERES DESDE LUEGO UNA CRIATURA DEL OLIMPO!

¡AUN ASÍ, LA VICTORIA ES MÍA!

¿LO VES, DESAAD? COMO INCLUSO LA IMPROVISACIÓN DE DARKSEID ES PERFECTA HASTA EN EL MÁS MÍNIMO DETALLE.

EN ESTE INSTANTE, GRACE ATRAJO A SUPERMAN A TRAVÉS DE LOS LABERINTOS DEL OLIMPO...

MIENTRAS QUE KALIBAK HIZO LO MISMO CON WONDER WOMAN...

"HASTA QUE EN EL ÚLTIMO MOMENTO..."

"AMBOS ELUDEN A SUS PERSEGUI- DORES..."

"... DEJANDO A LOS VERDADEROS SUPERMAN Y WONDER WOMAN CARA A CARA..."

"¡CONVENCIDOS DE QUE EL OTRO ES UN IMPOSTOR!"

19

143

INTERMEDIO

BOSTON...

¡JEFE! ¡NO PUEDE HACER ESO!

CHRISSIE... HACE YA MUCHO TIEMPO QUE NOS CONOCEMOS...

¡PERO NO ME ACUERDO DE QUE EN TU CONTRATO CONSTE EL QUE PUEDAS DECIRME LO QUE PUEDO HACER O NO!

PERO... ¡MINDY, POR FAVOR!

LAS RELACIONES PÚBLICAS SON UNA COSA, ¿PERO ESTO?

¿LO ES?

ESTO ES... ¡¡ES UNA MENTIRA DESCARADA!!

¡LA MENTIRA DE ALGUIEN ES EL NOTICIÓN SENSACIONALISTA DE UN PERIÓDICO, CARIÑO!

ADEMÁS, ¿QUIÉN ASEGURA QUE NO ES VERDAD? SUPERMAN Y DIANA QUEDARON EN ENCONTRARSE EN PRIVADO... EN ALGÚN LUGAR LEJANO...

DONDE NADIE PUEDE VERLOS... U OÍRLOS...

¡NO HACE FALTA SER UN GENIO PARA INSINUAR LAS COSAS!

SUPERMAN Y WONDER WOMAN
EL ROMANCE DEL SIGLO
LA PRINCESA DIANA QUEDÓ EN ENCONTRARSE A SOLAS CON EL SUPER-ROMEO

20

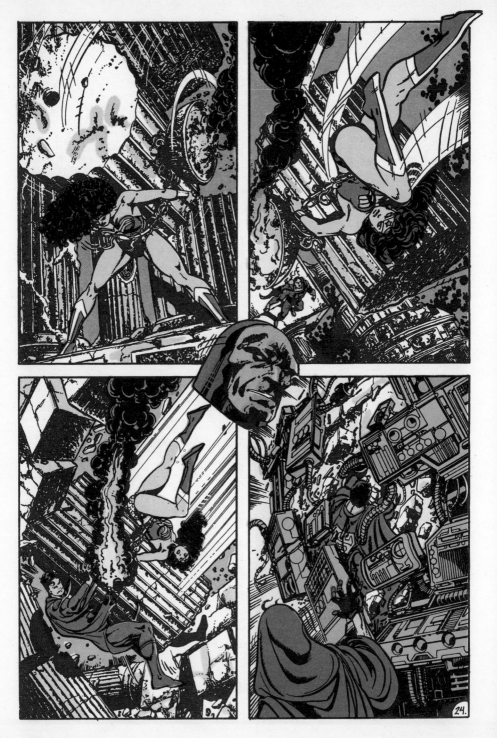

152

153

155

FIN

SUPERMAN

Relatos del Mundo Bizarro

Guión • Jeph Loeb

Dibujos • Ed McGuiness y Carlo Barbieri

Traducción y rotulación • Estudio Fénix

A VECES, MI MUNDO ENLOQUECE.

¿LO VES YA?

LA OTRA NOCHE, POR EJEMPLO...

SÓLO TENDRÁS ESTA OPORTUNIDAD, ASÍ QUE APROVÉCHALA...

¡ESPERA!

NO. ACÉRCATE UN POCO MÁS.

¡AHÍ ESTÁ!

TODOS LOS REPORTEROS DE ESTA CIUDAD QUIEREN FISGONEAR EL NUEVO SUBMARINO EQUIPADO CON EL AVANZADÍSIMO B13 TECH DE LA LEXCORP.

EL MISMO ROLLO QUE HACE DE METROPOLIS "LA CIUDAD DEL MAÑANA".

¡JIM! ¡NO TE INCLINES DEMASIADO!

¡TRANQUI! ¡TODO ESTÁ BAJO CON...

TROMMM

171

179

SUPERMAN

¡Chico malo!
Guión • Jeph Loeb
Dibujos • Dale Keown
Traducción y rotulación • Estudio Fénix

Una historia de Krypto, el superperro
Escrita por Clark Kent con ilustraciones de Kyle Rayner

Le gustaba roer huesos
como a un perro.

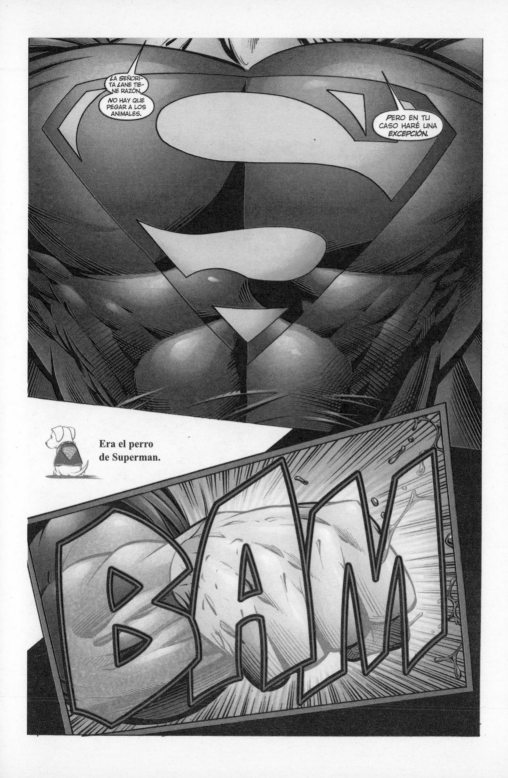

Podía volar como Superman.

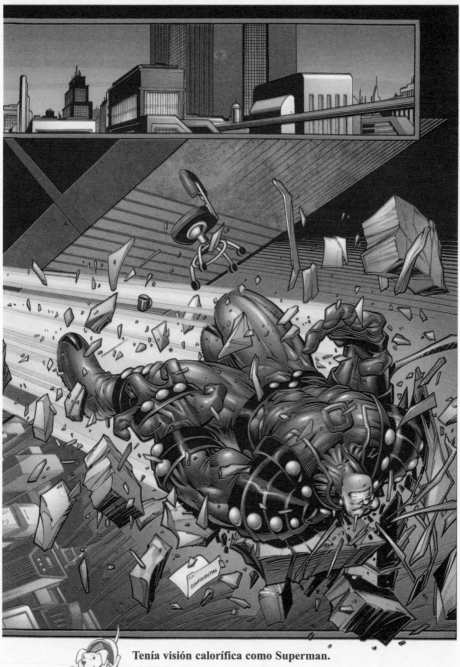

Tenía visión calorífica como Superman.

... o a los amigos de su amo.

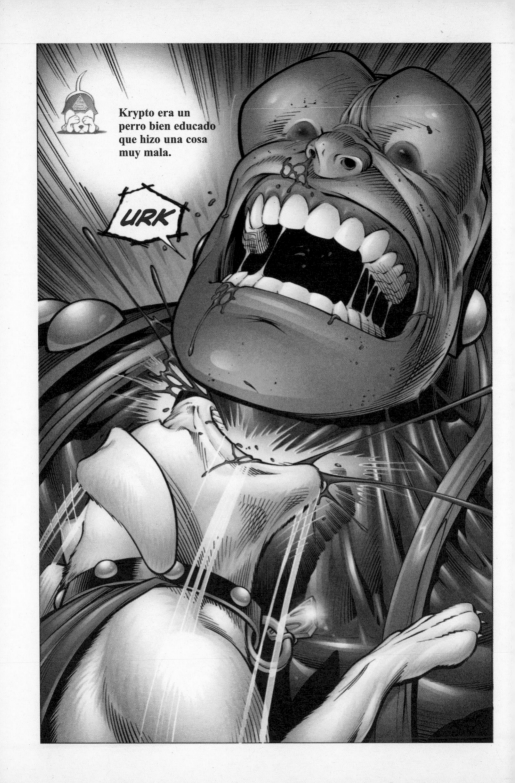

Pero el perro no sabía lo que hacía.

Pero Superman sabía que el
perro tenía que irse.

Ahora Krypto está en un lugar seguro.

Y Superman todavía lo quiere mucho.

Fin

JEPH LOEB
GUIÓN

DALE KEOWN
DIBUJOS

CAM SMITH
TINTA

TANYA Y RICHARD HORIE
COLOR

Agradecimientos especiales a PETER TOMASI

Superman
creado por
Jerry Siegel y
Joe Shuster

Índice